C000257891

Úlla.

Úlla

Seán Mac Mathúna

Cois Life Teoranta
Baile Átha Cliath

An chéad chló 2005
© Seán Mac Mathúna

ISBN   1 901176 54 1

Foilsíodh *Quizmháistrí, Seamlas, Sodar, Tuatha Dé Danann* agus *Ding* den chéad uair sa chnuasach *Ding* (Comhlacht Oideachais na hÉireann, 1986) atá as cló anois.

Foilsíodh *Págánaigh, Gadaithe, Leaca an Tí Mhóir, Triúrmhilleadh* agus *Aos Ifrinn* den chéad uair sa chnuasach *Banana* (Cois Life, 1999) atá as cló anois.

Foilsíodh *Nova Scotia* den chéad uair in *Aimsir Óg* agus táimid buíoch den eagarthóir, Mícheál Ó Cearúil, a chuir ar fáil é.

Bord na
Leabhar
Gaeilge

Tá Cois Life buíoch de Bhord na Leabhar Gaeilge agus den Chomhairle Ealaíon as a gcúnamh.

Dearadh clúdaigh: Eoin Stephens
Clóbhualadh: Betaprint

www.coislife.ie

Clár

do Bhreffni

Na Quizmháistrí

suite i scoil éigin, áit éigin....níl fhios agam

Fadó fadó....

teach beag

Tráth dá raibh bhí tigín agamsa, tigín deas rua cois na habhann.
Díon, agus fallaí rua air, fuinneoga glana ag féachaint go
neamhspleách ar aghaidheanna glasa an domhain. Bhí síoth ann,
the green face of the world, síochán
éin ag ceol ann agus solas na gréine ag briseadh trí na crainn.
Istoíche i mo leaba dom chloisinn an abhainn ag siosadh léi.
(once a year) a guy came and cut the grass
Sa samhradh thagadh spealadóir ag baint an fhéir sna goirt, ag
fuascailt a bheo ghlais chun an aeir. Sa gheimhreadh sheasainn
sa sneachta faoi sholas na gealaí agus dhéanainn iontas de mo
thigín deas rua; ó a dhuine, is é a bhí teolaí fáilteach.
full of growth.   weeds some people call them.
Bhí mo ghairdín lán d'fhásra. Fiailí a thugadh daoine áirithe
orthu, plandaí a thugaimse orthu. Thagadh na bláthanna ach
thachtaí go luath iad. I mo shuí sa chistin dom chloisinn na
feochadáin ag bualadh na fuinneoige á rá liom go maireann an
rud atá láidir. B'fhear síochána mé, ní chuirinn isteach ar mo
thimpeallacht. Ba é an dála céanna ag an teach é, bhí sé salach
dar le daoine, ach dar liomsa timpeallacht nádúrtha a bhí ann.
peculiar / odd
Bhíos ag obair i scoil ghreannmhar; bhí na máistrí ar fad
greannmhar leis. Quizmháistrí a thugtaí orthu. Dá bhfeicfidís
mise ag déanamh gáire déarfaidís 'Féach thall an leisceoir,
duine leisciúil
a leithéid de leiciméara!' Ní ceart gáire a dhéanamh i scoil
ghreannmhar. Is fíor nach maith liom obair, an tsíocháin ionam
faoi deara é sin is dócha, mar is ionann obair agus damáiste
éigin a dhéanamh do do thimpeallacht. Bhí 383 bhligeard i mo
scoil freisin. Ní bhíodh na Quizmháistrí as láthair le breoiteacht
riamh. Gach aon lá bhídís ar scoil go rialta tuirsiúil. Ní chuiridís
isteach ar ghnó na scoile ach aon uair amháin ina saol. Sin é

an lá a dtagadh aingeal an bháis ag cigireacht. Tá aingeal an bháis ceanúil ar Quizmháistrí. Buille mire amháin sa chliabh agus ar feadh soicind amháin bheadh ar na bligeaird bhochta féachaint ar an Quizmháistir, saothar anála air, a lámha cailciúla ag glámadh an aeir sula dtitfeadh sé as a sheasamh go mall righin, go sínfí comhthreomhar leis an urlár go deo é. Is ann a d'fhágfaí de ghnáth é go n-aimseodh na mná glantóireachta é.

Ach dá mbeadh na bligeaird ceanúil ar an Quizmháistir rachfaí láithreach go dtí Brutus Iscariot, an t-ardmháistir, agus déarfaí 'taom croí eile, seomra a 5A.'

B'fhurasta na bligeaird a smachtú ar shochraid mháistir, mar b'fhearr leo é a leanúint go dtí an reilig ná é a leanúint tríd an dara díochlaonadh.

Is furasta post Quizmháistir a líonadh. Cuir i gcás Cerberus, traenáladh é mar choimeádaí do phríosún in aice na scoile, ach tháinig sé isteach an geata mícheart. D'fháiltigh Brutus roimhe agus ruaig sé chun an tseomra ranga láithreach é. Is mar sin a fuair Brutus cuid mhaith dá mháistrí, aon duine a thagann go dtí an doras: pluiméirí, lucht bainte uaigheanna, agus Fínnéithe Jehovah. Tá buachaill aimsire an bhúistéara scanraithe roimh Bhrutus. Le déanaí is é an tseift atá aige ná na hispíní a chrochadh ar bhaschrann an dorais agus teitheadh leis. Is mar gheall ar Bhrutus nach dtagann cigirí chun na scoile.

Bhí scáthanna fada ag na máistrí go léir ach sháraigh Kronstein iad. Bhí sé an-tanaí ach bhí scáth trí throigh is fiche ar fad aige. Bhí a fhios sin agam mar thomhais mé é lá, gan fhios dó. Ar maidin bhíodh a scáth roimhe amach ag spíodóireacht sa dorchla ach sa tráthnóna bhíodh air é a tharraingt go spadánta ina dhiaidh amach trí cheo na cathrach. Deireadh na máistrí nár le Kronstein a scáth in aon chor ach le rud a fuair bás fadó. Deirtí gur mí-adh mór seasamh air. Ba é rún Kronstein bocht ná gurbh é an fear tanaí a d'éalaigh as an bhfear ramhar é; bhí sceon air go mbéarfaí air agus go sáfaí ar ais é. Níor bhac sé leis na máistrí eile agus thógadh sé a lón ina aonar i ndorchla na gcloch. Chítí ansin é ina chlogsheasamh i measc na gcloch ogham, a mhéara cnámhacha ag goid aráin doinn as páipéar ar a ghlúine agus gach aon ghreim á chogaint dhá uair is fiche sula slogfadh sé é. Bhí sé an-bhródúil as an gcogaint mar bhí sé sláintiúil.

Chun mo chás a thuiscint ní mór na Quizmháistrí a thuiscint. Tóg Cú Chulainn anois. Ceithre throigh go leith a bhí sé mar thomhais mé é an chéad lá a tháinig sé ar a *thricycle*. Firín fústrach dícheallach ba ea é; b'éigean do na máistrí arda bheith ar a n-airdeall i gcónaí nó gheobhaidís buille smige sa ghabhal. Ach bhí teoiric agam faoi Chú Chulainn. Lá dá rabhamar sa chiú i gcomhair ár bpeann luaidhe agus rubar saor, bhí Cú Chulainn romham. Thugas faoi deara nár tháinig sé ach suas go dtí cnaipe íochtair mo bheiste. Thuigeas ansin go raibh sé ag dul i laghad; ach ní raibh Cú Chulainn sásta leis an míniú seo; anois ní labhraíonn sé liom, ach caitheann sé hataí arda an t-am ar fad.

Bhí Suffrinjaysus ag obair taobh liom. Chuala go minic sa

14

dorchla amuigh é, ag tarraingt a bhróga F.C.A. ina dhiaidh, nó
ag taoscadh a scamhóg le casachtach. *emptying his lugs, with a cough* Ní labhraínn leis nuair
a chasainn air ach *grunled* dhéanainn cnead chomhbhách leis mar
aitheantas ar a chás. Bhíodh sé i gcónaí ag cásamh a dheacrachtaí,
a shúile tais ag an ainnise. Quizmháistir matamaitice ba ea E.
Mhúineadh sé i seomra leis an cuirtíní *curtains closed* druidte i gcónaí. Bhí
tinte ag dhá cheann an tseomra agus boladh déagóirí allasacha
á théamh acu. Agus Vick; mar bhí Suffrinjaysus imníoch faoina
shláinte. Sheasadh sé agus a thóin le tine agus chaitheadh
sé teoragáin Euclide chun na mbligeard faoi mar a chaití
Críostaithe fadó san airéine. Ach dhein an urraim a thug an
t-aos óg dó athbheochan ar a chorp tnáite. Nocht sé an chuid
ab fhearr de féin sa teach tábhairne mar a ndéanfadh sé trácht ar
gháire agus ar ghrian a óige. Ach ní raibh sé caoinbhéasach ná
grástúil. Is é a deirimse i gcónaí ná gabháil de bhuidéal pórtair i
gcúl a chinn don té nach bhfuil grástúil.

Ba é Vercingetorix *enigma* na scoile; bhí sé chomh sámh
ciallmhar ann féin gur chuir sé ionadh ar na máistrí eile. Níor
dhein sé aon rud as an tslí riamh, ar nós gáire a dhéanamh,
bheith breoite, nó bás a fháil. Ach thuigeas cén fáth nach raibh
sé as a mheabhair. Gach Aoine bheadh Vercingetorix ag ceartú
na mílte cóipleabhar Laidine ina pharlús. Cois na tine bheadh a
chúigear deartháir ag imirt pócair. I lár na hoibre dó bhuailfeadh
spadhar é; d'éireodh sé ina sheasamh. Ar feadh soicind amháin
ghealfadh a chiall as poll éigin air.

''Íosa Críost, ná habair liom gur múinteoir fós mé.'

'Ó, sea,' a déarfadh na deartháireacha as béal a chéile.

'Bhuel ba cheart léasadh maith a thabhairt dom más fíor sin.'

Leis sin thabharfadh an cúigear baitsiléir faoi, agus ghabhfaidís de dhoirne agus de bhróga air, á thuargaint chun talaimh. Nuair a leagfaí é chiceálfadh an deartháir ba shine, a bhí ina abhac, sa ghabhal é. Chaillfeadh Vercingetorix aithne le gáir aoibhnis. Nuair a d'éireodh sé ar ball bheadh sé chomh ciallmhar sámh le haon duine beo.

Ach Iníon Pharnassus; is chuici sin atáim. An-quizmháistreás í. Deirtear gur chuir a tuismitheoirí cailc ina lámh nuair a bhí sí ceithre lá d'aois agus gur fháisc sí air. *she grabbed in* Táim i ngrá le hIníon Pharnassus. Bím i gcónaí ag fáil cailce uaithi chun go mbraithfinn a lámh, mo lúidín ag déanamh moille ina dearna the. *rulers* Bímse i gcónaí ag brú rialóirí uirthi. Ní thugaim rialóirí d'aon duine ach í. Dá bharr sin, tá a lán rialóirí de gach saghas agam féin, lán an chófra díobh leis an bhfírinne a insint. Bím i gcónaí ag tomhas rudaí. *measuring things*

Mr Anthroposs—we don't know his name till the end of the story. Lá amháin d'inis mé di go raibh tigín deas rua agam cois na habhann. Níor chuir sí aon spéis ann. Ach nuair a d'inis mé di go raibh modh nua ceaptha agam chun aistí a cheartú bhí sí lántoilteanach mar is an-mháistreás í. Maidin earraigh ghluaiseamar linn beirt cois na habhann, i rannpháirteachas oideolaíoch; mise ag taispeáint neadacha néata na n-ainmfhocal ina ndíochlaonta dise, ise ag caintiú ar a bhinne agus a bhí ceol na mbriathra ina réimniú.

tá an teach salach...

Bhíos mórtasach as mo thigín rua a bhí ag seasamh amach as an bhfásra go léir. Ach tháinig púic uirthi nuair a bhí uirthi gabháil trí mo phlandaí. Leath an pus uirthi nuair a chonaic sí na driseoga le hais an dorais. Thugas isteach í, dhustálas cathaoir di, ruaigeas na cuileanna an fhuinneog amach, níos cupán di; agus dheineas tae. Sheas sí i lár an urláir ag glinniúint ar eagar aimhréidh mo pharlúis. Shuíos os a comhair amach agus d'fhéach mé suas uirthi ag lorg boige éigin ina ceannaithe mar ba dhéirc liom a haird.

'Cad 'na thaobh ná glanann tú na fiailí gránna sin as do ghairdín?' Mhíníos di gur dhuine síochánta me, nach ndéanfainn dochar d'aon chuid den domhan. Chuireas ar a súile di nár cheart fiaile a thabhairt ar aon phlanda mar gur ghéill an chaint sin d'oireachas plandúil nach raibh ann in aon chor.

'Cad 'na thaobh ná cuireann tú caoi ar do thigh?' agus bhuail sí buille coise ar an urlár; d'éirigh puth deannaigh.

D'fhéachas timpeall ar na gréithe agus na sean-stocaí: 'Is féidir leis na rudaí i mo thimpeallacht brath orm ná faighidh siad bascadh uaimse.'

Fad is a bhí sí gafa ag na smaointe seo, thaispeánas di an modh réabhlóideach a bhí agam chun aistí a cheartú. Ceithre stampa rubair a bhí agam. Scríofa orthu faoi seach bhí: go maith, go dona, cuíosach maith, cuíosach dona. Rugas ar bheart cóipleabhar a bhí ann le blianta agus ag stampáil liom go láidir chuireas daichead de na rudaí lofa díom i gceann nóiméid amháin, á gcaitheamh uaim sa chúinne. Ní dóigh liom go raibh Iníon Pharnassus róthógtha le m'aireagán ná mo thigh, mar ghabh sí a leithscéal agus d'fhág sí an áit.

An lá dár gcionn ní thabharfadh sí aon chailc dom. 'Ó, chugatsa sin, a sheanchroch shúigh,' arsa mise liom féin. Abhaile liom chun machnamh a dhéanamh. Shuíos i mo chistin agus shocraíos go gcaithfinn brú ar mo phrionsabail. Sula mbeadh Iníon Pharnassus deas liom bheadh orm roinnt athchóirithe a dhéanamh ar mo throscán tí, agus b'fhéidir roinnt dustála leis. Ach lámh ní fhéadfainn a thógáil; teip ghlan. Táim leochaileach i mo mheon maidir le prionsabail. An lá dár gcionn ba mhar a chéile é; bhraitheas m'fhealsúnacht á hionsaí ach sheas sí an fód. Ní rabhas ábalta faic a dhéanamh aon lá ach dul ó sheomra go seomra ag iniúchadh mí-eagair mo thí: fo-éadaí salacha thall, seanbhróga abhus, leapacha gan cóiriú déanta riamh orthu, clúmh liath ar sheanéadaí, bia imithe ó mhaith, luaithreach tobac i ngach áit.

Lean sé mar sin go ceann coicíse. Bhris ar m'fhealsúnacht ach bhí gach géag i mo chorp faoi ghlas, mé ceangailte sa chathaoir le grá, agus le scáth roimh bhrocamas mo thí.

Ar an Aoine is ea a tharla sé; a thúisce agus a chuireas an eochair sa doras bhraitheas é: snas urláir. Réabas isteach de gheit agus is ansin a leath an radharc orm: urláir chomh glé le plátaí, snas lonrach ag baint na súl asam, fallaí nite, troscán aistrithe ar shlí dheas ealaíonta, gréithe ag glioscarnach ina sraitheanna néata sa drisiúr, boladh rósanna ón seomra folctha. Ach chailleas mo mheabhair nuair a chonac an leaba. Blaincéid ghlana, piliúir ata le cúram, bairllíní stáirseáilte; bhí sé ar fad chomh tochraiste néata gléasta le bannríon. Thugas léim amháin air agus d'fholcas mo lámha is m'aghaidh i gcumhracht na n-éadaí. Léimeas arís air is thógas cúpla liú áthais. Thug sé m'óige chun mo chuimhne agus boladh an aráin san oigheann. Go tobann stopas. Seo liom ar fud an tí ag scrúdú na bhfuinneog agus na ndoirse. Bhíodar slán agus ní raibh aon duine sa tigh ach mé féin. Tá a lán cairde agam. Duine díobh a dhein é, ní foláir, ag díol an chomhair liom as mo charthanacht. Ansin rith sé liom gurbh í Iníon Pharnassus a rinne é. Is ea, bhíos cinnte. Ghluaiseas liom ar fud mo thí ag feadaíl le sástacht.

Lá arna mhárach ghabhas thairsti sa dorchla. Bhí geanc uirthi le stuaim ach thugas an-fhéachaint uirthi. Bhí cluiche ar siúl againn, cluiche an ghrá, a mhic. Níor iarras aon chailc uirthi mar is fearr ainliú leat uaireanta. Chuireas fios ar quizeanna nua do na bligeaird.

An tráthnóna sin is orm a bhí an t-ionadh nuair a chonac go raibh an glantóir tar éis a bheith ann arís. Bhí dhá mhála ghorma sa seomra folctha agus fógraí clóbhuailte orthu: 'Níochán bán, Níochán daite.' Bhíos an-sásta, ba mhór mar a chuir siad le maise mo thí. Sa chistin bhí gréithe snasta leagtha amach i gcomhair béile. Bhí an áit go pioctha néata. Ghabhas trí na seomraí d'oilithreacht ag cuimilt mo lámh den adhmad snasta, ag gliúcaíocht orm féin sa scáthán ag bolú na cumhrachta. Is mé a bhí buíoch d'Iníon Pharnassus go dtí gur thugas mo bhuidéilín uisce beatha faoi deara. Bhí ar a laghad ceithre leathghloine imithe as. Tá a fhios agam mar bím i gcónaí ag tomhas rudaí. An oíche sin bhíos idir codladh is dúiseacht mar ní bheinn róthógtha le pótaire mná.

Tráthnóna lá arna mhárach lascas liom abhaile. Bhí a thuilleadh uisce beatha imithe agus roinnt bia. Ba chuma liom faoin mbia. Bhí nóta ar an matal: 'Úsáid na luaithreadáin.' Bhí lán an chirt aici. Bhíos bródúil as an áit; ach an t-uisce beatha. Shocraíos láithreach ar dhul chuici lá arna mhárach agus é a rá lena béal.

Ach an lá dár gcionn fuair Semper Virens, an Quizmháistir Gaeilge, taom croí, seomra 4B. Nuair a bhíodar ag tabhairt an choirp amach as an scoil bhí Brutus Iscariot ar na céimeanna agus é ar buile.

'A Íosa Críost, a leithéid d'am le bás a fháil, agus sinn ag druidim le scrúduithe.' B'éigean do Bhrutus leathlá a thabhairt don scoil agus ghlan idir bhligeaird agus Quizmháistrí an geata amach go buacach scléipeach.

Abhaile liom go háthasach go dtí mo thigh. Geit arís; bhí fear istigh sa chistin, naprún air, é ag glanadh gréithe agus é ag crónán os íseal dó féin. Is ar éigean a thóg sé ceann díom.

'Cé hé tusa in ainm Dé?' agus ionadh orm. Ní dúirt sé faic.

'Cá bhfuairis an eochair chun teacht isteach i mo thighse?'

'Níor thángas isteach,' ar sisean go neamhchúiseach. 'Bhíos anseo i gcónaí.'

'Dhera, fastaím, cad tá á rá agat?' mar ní rabhas sásta leis an bhfreagra seo.

'Téanam,' ar seisean agus sheol sé amach go dtí an halla mé. 'Féach,' ar seisean agus dhírigh sé a lámh in airde. Bhí comhla an lochta ar leathadh; ní raibh faic le feiceáil ach poll an duibheagáin.

'Tháinig tú anuas as san?'

'Tháinig. Táim i mo chónaí ansin thuas le fada. Áit an-deas é, geallaimse duit.'

Rugas ar an dréimire taca agus sháigh mé mo cheann suas sa dorchadas.

'Ní fheicim faic,' arsa mise.

'Ní gá duit aon rud a fheiceáil. Is chuige sin a bhím ann. Tá sé ciúin ansin. Ní chuirfidh aon rud isteach ort.' D'fhéachas ar limistéar aduain seo mo thí, ag gliúcaíocht tríd an dorchadas.

''Bhfuil sé tirim?'

'Ó, tá an-fhothain agat ansin, an dtuigeann tú. Tá idir adhmad, pheilt, agus shlinn idir tú agus an aimsir. Tá sin thuas chomh seascair le coca féir.'

'Conas a mheileann tú do chuid aimsire?'

'Ag machnamh.'

'Ní fearra dhuit rud a dhéanfá. Táim féin an-tugtha don mhachnamh céanna.'

Chuamar ar ais go dtí an chistin. Líonas gloine fuisce amach dom féin. Déanaim amach gur fhéach sé go míchéatach orm nuair a chonaic sé ag ól mé; nó b'fhéidir gurbh iad mo chosa faoi deara é.

'Bheinn buíoch díot ach do chosa a choimeád ar an talamh.' Bhaineas mo chosa den bhord.

'Tá an-jab ar fad á dhéanamh anso agat, a dhuine, agus táim buíoch díot,' arsa mise.

'Ní gá a bheith buíoch ach a bheith cúramach,' ar seisean agus d'imigh sé ar fud an tí le ceirt, ag lascadh pictiúr, ornáidí, agus fuinneoga.

'Tá tigín deas agat,' ar seisean.

'Againn araon,' arsa mise leis, ach chuala an comhla ag dúnadh. Bhí sé in airde arís. Shiúlas timpeall an tí arís ag déanamh mórtais as mo pháláisín. Bhí sé chomh glan leis an gcailís. Dheineas tae agus ghlaos ar mo dhuine ach níor thug sé aon fhreagra orm. Tá sé tugtha faoi deara agam go mbíonn daoine a bhfuil doimhneas ag roinnt leo mar sin. Ní thugaid aon aird ar an saol ach nuair is mian leo é. D'ólas mo chuid tae agus d'fhéachas an fhuinneog amach ar mo chuid feochadán, ag bagairt a gcinn corcra orm sa ghaoth. Is deas an rud an comhluadar.

An lá ina dhiaidh sin, bhaineas seomra Iníon Pharnassus amach. Thugas taitneamh don luisne the a leath ar a haghaidh nuair a chonaic sí mé. Labhair sí go crosta liom ach thuigeas go mbíonn an múinteoir maith crosta i gcónaí. Bhrús roinnt rialóirí uirthi ach dhiúltaigh sí dóibh. Ansin labhraíos léi as cúinne mo bhéil, ag insint di go raibh tigín deas rua áirithe, agus sméideas uirthi, ina pháláisín ceart. Thosaigh sí ag casachtach agus chuala siotgháire ón rang. Ar mo leabhar bhí sí ag crith nuair a thug sí an doras dom.

Nuair a bhíos ag déanamh tae thuirling mo dhuine arís. Scrúdaigh sé an tigh agus tá bród orm a rá go raibh sé sásta. Thóg sé gloine uisce beatha i mo chuideachta. Bhíos buartha faoi Iníon Pharnassus agus d'inis mé do mo dhuine fúithi.

'Foighne, a mhic, agus chífir istigh sa tigh seo fós í.'

Bhíos ag fáil ceanúil ar mo dhuine. Fíorchara ba ea é; thug sé fíorchomhairle gan éileamh uaidh. Chaitheas cúpla lá mar sin i bhfeighil mo shuaimhnis ag faire Iníon Pharnassus, ag éisteacht le torann a bróg sa dorchla amuigh. Ag an am céanna bhí mo dhuine dícheallach ar fud an tí. B'éigean dó cúpla riail faoi éadaí agus béilí a dhéanamh ar mhaithe leis an áit.

Thuirling sé Dé Domhnaigh arís agus thosaigh sé do mo cheistiú faoi jab an Quizmháistir agus conas a dhéanfá é.

'Caithfidh tú ar dtús seasamh ar leibhéal níos airde ná na bligeairdí,' arsa mise.

Thóg sé seanbhosca oráiste amach go lár na cistine agus chuaigh sé in airde air. 'Mar seo?'

'Sea, go díreach,' arsa mise. 'Caithfidh tú quizleabhar a bheith i do lámh agat agus quizeanna a chur orthu.'

'Cén saghas quizeanna?'

Ó, aon saghas in aon chor: Cé a dhein an domhan? Modh Foshuiteach caite de *laudo*, fréamh cearnach 27, agus mar sin de.'

'Agus cad a dheineann tú mura mbíonn na freagraí acu?'

'Béic, a mhic, téir i muinín na béice.' Leis sin, lig sé béic mhillteanach a chuir siar go falla mé. Bhí an-mheas agam ar an mbéic sin.

'Sin a bhfuil,' arsa mise.

'Dhera, d'fhéadfadh aon amadán é sin a dhéanamh,' ar seisean go searbh. Bhuaileas mo cheann fúm le náire mar bhí an ceart ag mo dhuine ach ní thabharfainn le rá dó gur admhaíos é.

Tráthnóna Dé Luain thuirling sé arís.

'Is mór é m'ionadh fear cliste intleachtúil mar thusa a fheiceáil ag sclábhaíocht in aghaidh an lae.'

Gheit an chaint mé. As duibheagán éigin gheal mo réalta eolais orm.

'Sin í an chaint, a mhic, is tú mo chara,' agus rugas ar lámh air. B'ionadh liom a fhuaire agus a bhí sé.

'Nach bhfuil sé in am agat lá saor a thógáil ar mhaithe leis an machnamh?'

'Tá an ceart agat ach cad é an leithscéal a bheadh agam?'

'Breoiteacht.'

'Níl cead agat a bheith breoite sa Quizscoil.'

'Fiú amháin taom croí?'

'Níl cead agat ach taom croí amháin a bheith agat. An té a mbíonn dhá cheann aige ní mhaitear dó é.'

Bhí mo dhuine ag cuimhneamh. Go tobann bhuail sé na bosa le chéile.

'Sea, tá sé agam,' ar seisean. 'Fanse sa bhaile agus rachadsa i d'áit.'

Ba dhiail an smaoineamh é ach bhí leisce orm.

'D'aithneofaí thú agus bheadh an phraiseach ar fud na mias ansin.'

'B'fhéidir nach n-aithneofaí, táim go maith chun bréagriocht a dhéanamh.'

Bhí amhras orm.

'Bhraithfidís uathu mé.'

'B'fhéidir ná braithfeadh. Bain triail as. Cuimhnigh air: d'fhéadfá seachtain a thógáil. Rud eile, d'fhéadfá dul suas sa lochta agus machnamh a dhéanamh i gceart.'

'Dáiríre?' arsa mise. 'Níor mhiste leat?'

'Níor mhiste.' Bhíos meallta ar fad ag an seans seo chun dul suas sa lochta agus machnamh a dhéanamh i gceart. D'fháisc sé geallúint asam agus chuamar a luí.

'Ní raibh an ghrian ina suí ar maidin nuair a dhúisigh an cibeal sa chistin mé. Amach liom ag sodar. Cé a bhí romham ach mo dhuine, mo stampa rubair ina lámh aige agus é á thabhairt go tiubh do na cóipleabhair.

'Cad atá ar siúl agat?'

'Táim ag ceartú'

'Tá siad siúd ann le blianta. Cuid de na daoine a scríobh iad siúd marbh anois.'

'Is cuma; bhíodh siad mar *souvenir* ag na tuismitheoirí. Pé scéal é caithfear an áit a ghlanadh.' D'fhéachas ar na cóipleabhair, iad brúite cluasach, ruaim chaife, beoir, agus luaith tobac orthu.

Ar leathuair tar éis a hocht d'imigh sé an doras amach, é lúbtha faoi ualach na gcóipleabhar.

'Dála an scéil cad is ainm duit?' ar seisean.

'Anthropos, an tUas. Anthropos,' arsa mise.

Ghlan sé leis i dtreo na scoile, gach aon tuisle as. Mar a dúrt, bhí amhras orm ach bhí sceitimíní orm tabhairt faoin lochta. Sháigh mé mo cheann suas sa dorchadas. Bhí sé mar a bheadh coill istoíche ach bhí sé tirim seascair, agus fothain ann ó chúraimí an tsaoil. Bhaineas súsa mo dhuine amach agus chromas láithreach ar an machnamh. Ba ghearr go rabhas ar bhruach *nirvana* nach mór. Sea, bhí lá breá spioradálta agam agus gan mo lámh a thógáil.

Tháinig mo dhuine isteach tráthnóna. Chuireas mo cheann síos chun fáiltiú roimhe ach is amhlaidh a bhí an oiread sin cóipleabhar aige nach bhfaca sé mé. Thángas anuas agus ionadh orm.

'Conas a chuaigh an lá?' arsa mise agus rugas ar ghlac de na cóipleabhair agus raideas isteach sa chúinne iad mar ba ghnách liom. Bhí sé ar buile. Chuir sé ar ais iad.

'Caithfear an áit a choimeád glan,' ar seisean go crosta.

'An ndúirt aon duine faic leat?'

'Ní dúirt.'

'Ar thug aon duine aon rud aisteach faoi deara?'

'Níor thug. Nach bhfuil an tae ullamh fós agat?'

Bhí an ceart ar fad aige. Bhíos chomh gafa sin ag an machnamh gur dhearmadas é. Nuair a bhíomar ag ithe theip glan orm scéala ar bith a chrú as.

'An bhfaca Brutus Iscariot thú?'

'Chonaic.'

Is maith liom babhta comhrá uaireanta.

'Bhí an-lá agam sa lochta.'

'Braithim an-mhaith ina dhiaidh.'

'Braitheann tú sámh ionat féin, déarfainn.'

'Ó, sea, agus gan aon obair.'

'Ó, gan saothar ar bith, sin é é, a mhic.'

Bhí an-chaint mar sin againn. Thairg sé an lochta dom i gcomhair na hoíche. Is mé a bhí buíoch.

Tráthnóna lá arna mhárach bhí mo dhuine lán d'fhuadar arís.

'Féach,' ar seisean. 'Níl an leaba cóirithe fós agat, gan trácht ar an tae.'

Seo liom ar fud an tí, ag socrú rudaí thall is abhus fad is a bhí seisean ag ceartú ar a dhícheall – le m'aireagán ceartaithe. De thionóisc thonac ceann de na cóipleabhair.

''Iosa Críost, cad tá á dhéanamh agat?' arsa mise leis. 'Tá cóipleabhair le Kronstein anseo agat.'

'Tá's agam é sin,' ar seisean go bagrach, 'd'iarr mo chara Kronstein orm cabhrú leis.'

'Do chara?' arsa mise agus mé trína chéile i gceart. Ghabhas tríothu ar fad.

'Agus Suffrinjaysus agus Cú Chulainn? M'anam 'on diabhal, a gcuid aistí á bpróiseáil le m'aireagánsa. Ní rómhaith a thagann seo liom.'

Tháinig mo dhuine chugam. 'Féach, a chara, tá na máistrí imithe bán le d'aireagán. Tá an Quizscoil buíoch díot.' Chiúnaigh sin mé. Is maith an rud an buíochas, go mór mór más duine cruthaitheach tú.

Bhí tromluí orm an oíche sin sa lochta; taibhríodh dom go raibh leite á stealladh isteach sna súile orm. Ar feadh an lae ina dhiaidh sin bhí smaointe trioblóideacha ag éirí chugam.

Ar a cúig a chlog bhíos roimhe sa halla. Stopas é agus ghabhas tríd an mbeart cóipleabhar a bhí aige. Bhí an ceart agam, bhí Iníon Pharnassus aimsithe aige.

'Seo, a chladhaire na leathbhróige, prioc leat in airde, ní chloistear broim an dreoilín i gcrann cuilinn.'

Bhí cuma cheart mhíshásta air ag éalú suas dó, ach chúb sé chuige nuair a chonaic sé an cochall a bhí orm. Táim go huafásach nuair a bhíonn fearg orm.

'Fan thuas ansin amárach, táim ag dul ar ais ag obair.'

Sháigh sé a cheann síos. 'Ach, ní féidir liom bheith as láthair, nó ceapfaidh siad go bhfuil mé breoite,' arsa mo dhuine.

'Níl aon bhaint agat leis an áit sin a thuilleadh.' Chuir a chaint m'aigne ar seachrán.

Ar maidin bhíos i mo shuí go breá luath, na cosa nite agam, na bróga snasta agus mar sin de. Is mé a bhí bródúil asam féin ag dul ar scoil dom. Bhí an fhoireann teagaisc ar fad romham sa seomra foirne. Phreab Brutus Iscariot anall chugam.

'Sea, cad is féidir liom a dhéanamh duit, a dhuine uasail?'

'Faic,' arsa mise, 'táim tagtha ar ais chun mo rang a thógáil.'

'Tá breall ort, níl aon aithne anseo ort.'

Somebody else took his place.

'Mise Anthropos,' arsa mise agus anbhá orm. *(paic)*

'Cá bhfuil an máistir Anthropos?' arsa Brutus. Chruinnigh na máistrí i mo thimpeall.

'Ní foláir nó tá sé breoite inniu, an fear bocht, tá sé ag obair róchrua,' arsa Suffrinjaysus.

'Tá an ceart agat,' arsa Iníon Pharnassus.

'Mise Anthropos,' arsa mise de gheoin nimhe.

'Ní tú, a bhacaigh,' ar siad agus rug siad orm agus chaith siad an doras amach mé. B'éigean dom teitheadh. 'Feallaire, bithiúnach, aisteoir,' a thug siad orm agus mé ag éalú ó na hollphéisteanna. Ghearras liom trí na goirt abhaile mar mheasas go raibh scáth Krronstein i mo dhiaidh. Réabas isteach i halla mo thí. Bhí mo dhuine ag feitheamh ag bun an dréimire taca. Thug an siúl a bhí fúm suas an dréimire mé. Tharraing sé an comhla i mo dhiaidh agus chuir an glas air.

'Fan thuas ansin anois,' ar seisean. 'Táim déanach cheana féin agat,' agus d'fhag sé an tigh ag sodar.

Chaitheas an lá ar fad ag machnamh chun athchóiriú a dhéanamh ar mo chúrsaí, saghas *aggiornamento*. B'fhacthas dom go rabhas in áit shábháilte thuas anseo sa lochta mar bhí an saol lán de ghangaid, formad agus anró. Bhí díon os mo chionn, sop fúm agus greim le hithe: cad eile a bheadh uait? De réir a chéile d'imir mos tirim na bhfrathacha agus an dorchadas mairbhití ar mo shúile agus thiteas i suan trom.

Amach sa tráthnóna mhúscail an rud mé, scréach iarainn taobh leis an tigh. D'fhág sé mo chroí ina staic. B'iúd arís é, cláirín ag cur faobhair suas ar speal. Líon an fhuaim an lochta, do mo thachtadh. Ansin stop sé agus chuala spóladh tur na lainne ag treascairt mo phlandaí, ag bearradh a mbeatha den saol seo. Luíos siar is bhraitheas mo mhisneach do mo thréigean.

An oíche sin bhí comhluadar ag mo dhuine. Is maith liom comhluadar ach bean a bhí ann an uair seo. Chuala a gcaint íseal agus a ngáire. Chuir sé de mo threoir mé. Chuas ag lámhacán ar fud an lochta gur aimsíos scoilt. Chuireas leathshúil leis an scoilt is ba bheag nár dhóigh an radharc an tsúil ionam. Bhí Iníon Pharnassus ar mo tholgsa. Ach thairis sin, chonaic mé craiceann, ní gnáthchraiceann ach craiceann bán na fothana. Ó, an Salachar agus an nimh agus an peaca. Tháinig cochall orm, bhí díoscán i m'fhiacla mar bím go huafásach nuair a bhíonn cochall orm. D'fhéadfainn smidiríní a dhéanamh de na frathacha agus na cúplaí ach amháin nach maith le mo dhuine torann sa lochta. Luíos siar agus b'éigean dom cur suas lena gcneadanna aoibhnis go dtí gur fhuascail mo chodladh mé.

Chnagas ar an gcomhla aréir. Tar éis tamaill bhain sé an glas de, sháigh sé a cheann suas.

'Deoch uisce, murar mhiste leat, a dhuine uasail, tá sé tirim anseo.'

'N'fheadar. An dteastóidh uait do mhúinín a dhéanamh ina dhiaidh?'

'Ó, ní theastóidh, dheineas m'uimhir a dó tar éis na gréithe a dhéanamh anocht.' Thug sé chugam é.

'Cathain a bheidh dreas comhluadair againn le chéile?'

Tar éis machnaimh ar seisean: 'Má bhíonn tú go maith, tar éis an tae amárach.'

Ghabhas mo bhuíochas leis agus d'imigh sé.

Tá sé mar sin, deas má bhíonn tú díreach leis. Is ea, tá an-saol agam go deo – faic le déanamh, seirbhíseach ag freastal orm, ag tuilleamh airgid dom. Sin é an saol. Tá comhluadar anseo i rith an lae – na míolta críonna. Éistim leo ag ithe soicindí tura mo shaoil.

Níl aon mhíniú anhair ar an scéal... níl sé soléir.

B'fhéidir go bhfuil an duine sin ás a mheabhair.

" " " alter-ego ag an duine sin thuas an staighaire....
(Tá conaí ar sa teach an t-ám ar fad.... Seo é an taobh eile don Anthroposs... an duine reata...etc).

B'fhéidir gur threa leo a bheith mar seo.... dúilagín... is cuid do aighne é sin.

Tá bheí an scéal oscailte.
Magic Realim atá ann!! Strange atmosphere

Leaca an Tí Mhóir

D'fheicimis uainn a gcuid páirceanna, ina 'lawns', is beithígh de chuid an ghabhairmint *bull* ag iníor go socair iontu. Uaireanta d'fheicidís na gabhair is na caoirigh seo againne ar an gcnoc. Chloisimis i gcónaí a gcuid Béarla. Annamh a chloisidís siúd ár gcuidne Béarla. Ach ar scoil.

'There voss many grasses in the field for the cow to be et.' Ba bheag nár thit Micí Thaidhg, an múinteoir, den chathaoir le gáire.

'Jaysus, Leary, you'll be the death of me,' ar seisean. Ní fhéadaimisne ó Ghleann Easna aon lámh a dhéanamh ar 'Z' an Bhéarla. 'Sip' a bhí ar mo chasóg, agus, dá bharr sin, bhíos 'lasy' agus 'crasy'. Maidir le focail dar tús *wh – fot, fy, fwere, fwin, fot for, black and fite* – bhíomar inár seó bóthair acu. 'Fotters' Ghleann Easna a thugtaí orainn.

Dá bhíthin sin bhíos fiáin chun an Béarla a fhoghlaim. Agus an lá a chonac *The American Treasure Annual* ag Teddy Connor ar scoil, shantaíos é – ar dtús ar son an Bhéarla. Bhí crothán Béarla sa bhaile againn, ar ócáidí speisialta, ach thuigeamar nach raibh ann ach plobarnach leitean. Maidin amháin ghlaoigh mo mháthair ar Mháire a bhí ag ullmhú an bhricfeasta:

'Put deown a negg for Seán, for Seán's goin to Meiriceá.' Seán, an deartháir ba shine, d'fhreagair sé ón leaba sa lochta: 'Put deown neo negg for Seán, for Seán's goin to neo Meiriceá nor South Nafrica naythur.'

Shantaíos an Béarla, shantaíos an *annual*, shantaíos an long.

Bhíodh sé ar scoil aige gach aon lá, scata againn bailithe timpeall air am lóin.

'Go back to Dick Tracey,' a deirimis leis. Bhí Teddy breá sásta buíochas an tslua a bheith á tharrac aige, mar cé go raibh sé deas mar dhuine, ní raibh an gliocas ná an diabhlaíocht ann a dhéanfadh laoch de. De réir a chéile d'fhás an *annual* ina ainmhian dosmachtaithe ionam. Agus mé ag sá i gcoinne an aird ón scoil, smaoineoinn ar Superman, agus ar Dick Tracey, a raibh smig chearnógach fhearúil aige; ar éigean a d'fhan aon smig ag m'athair. Agus na mná, cuid acu leathnocht. Agus chuimhneoinn ar mhná an pharóiste agus ar mo mháthair – ní raibh iontu go léir ach scata sprideanna. Agus na dathanna. D'fhéachas im thimpeall; canathaobh nach bhféadfadh an gorm a bheith ina ghorm, an glas ina ghlas, an dearg ina dhearg, in ionad a bheith tréigthe mar éadaí tincéara. Shantaíos bándearg.

Ach ní thabharfadh Teddy uaidh é gan malartú nó mharódh a athair, Mike Dan, é. Ach malartú ní raibh agam. Ní raibh de leabhair sa teach ach cóip de *Old Moore's Almanac*, cóip de Bhíobla Bhedel a léinn le dua ó am go chéile, agus 'the Book'. Ní fhéadfadh éinne 'the Book' a léamh, ná an teideal, *Good Husbandry*. Ach na pictiúirí, bhíodar feicthe is seanfheicthe againn: bulláin, tairbh, reithí agus muca, iad chomh ramhar le cocaí féir. Níor mhór talamh speisialta a bheith acu nó shuncálfaí iad. B'in a raibh de litríocht sa teach – rud a d'fhág mé gan aon chaitheamh aimsire ach Méirín.

Peata mionnáin ba ea Méirín, a bhí níos cliste is níos dílse domsa ná aon mhadra. Bhí Harry, an madra caorach, dulta in aois go mór is ba ghearr a théarma. Bhí poll bainte aige sa tuí a bhí sa scioból agus is ann a d'fhanadh sé, ag sméideadh amach ar laethanta deiridh a shaoil.

Chomh luath is a thagainn abhaile léimeadh Méirín ón ngeata anuas ar mo ghualainn, agus is ann a chaitheadh sé cuid mhaith den tráthnóna, gach *me-he* as. Bhí an-choinneáil ag na crúibíní aige. Léimfeadh sé is sheasfadh sé ar bhiorán. Chonac in áiteanna é ná coinneodh cat a ghreamanna ann. Bhí fáinne de bhuicéid bunoscionn san iothlainn agam. Ba chleas le Méirín gabháil timpeall go tapaidh ó cheann go chéile go mbaineadh sé sórt scála ceoil astu. Ba dhána an t-éadan a bhí air, is ní raibh aon támáilteacht air dul isteach sa chistin ar an déirc, nó cantam aráin a ghoid ón mbord; ach bhí mo mháthair fabhrach leis, is níorbh fhearr léi scéal de ná an gabhairín a fheiscint i mbéal an dorais.

Lean Dick Tracey ag gabháil steallaidh ar m'aigne. Lean an tathant agam ar Teddy. Bhíos lántoilteanach bradaíocht a dhéanamh ar son an *annual* – cearc, lacha, gé, mála prátaí – ach ní éisteodh Teddy. Bhí rud éigin uaidh féin, dó féin.

Satharn amháin bhíos ar bharr an charn aoiligh, á mhaolú anuas le píce. Go tobann thiomáin gluaisteán isteach sa chlós. Mike Dan is Teddy a bhí ann. Rith mo dhaid amach chucu mar iontas ba ea an gluaisteán. Ritheas féin le náire uathu, a rá is gur rugadh orm cosnochta is cac go glúin orm. Thumas na cosa sa tobán is ritheas an raca trí mo chuid gruaige sa chistin sarar thaispeánas mé féin dóibh. Bhí Teddy ansin is an *annual* faoina ascaill aige. Gheit mo chroí. An Nollaig a bhí ann is cá bhfios ná gurbh é sprid na Nollag a bhog chugam iad. Mike Dan ag caint le m'athair is gach drochfhéachaint aige mórthimpeall.

'Tá an t-aoileach sin millte agat lena bhfuil d'aiteann is raithneach tríd. Teacht an tsamhraidh, pléascfaidh na goirt le salachar.'

'Dhera, bíodh an diabhal ag na goirt, 'deile a dh'fhásadar riamh ach salachar.'

Lean an chaint. Sa deireadh labhair Mike Dan.

'The garsún wants a swap for his book, you know, something for something, a malairt, you know.'

'Malairt, malairt,' arsa m'athair, ag tochas a chluaise, is ag féachaint ar an gcarn aoiligh. Ag an bpointe sin thuirling Méirín ar mo ghualainn. Chonaic Teddy é. Anall leis chugam.

'Can he do that to me?' ar seisean.

'Dhera, he can,' arsa mise, is bhuaileas cúpla buillín ar ghualainn Teddy is smeachas mo theanga. Thug méirín léim neafaiseach is thuirling go cruinn ar ghualainn Teddy.

'Hey, Da, look at me, look at the goat.'

Phreab Méirín ar ais ormsa. Sall le Teddy go dtína athair is chuala an chogarnach. Labhair Mike Dan.

'He'll take the goat for a swap.'

Bhíos an-sásta: ní dheánfadh cúpla lá saoire aon dochar do Mhéirín.

'Sladmhargadh,' arsa m'athair. Rinneadh an malartú. Rugas barróg ar an leabhar ar eagla go mbainfí díom arís é. Agus Mike Dan ag imeacht, labhair sé as Gaeilge arís.

'Is fearr marcaíocht ar ghabhar ná coisíocht dá fheabhas,' ar seisean is gháir sé. Ghlanadar leo.

D'fhéach m'athair ina ndiaidh.

'An gcualaís cad dúirt an bathlach faoin aoileach? Maran b'olc an cac a bheadh rómhaith dó.'

D'fhéach sé an geata amach.

'Is dóigh leis na Connors gur dóibh féin amháin a ghlasann an féar.'

Chas sé is ghluais sé tharam. Stop sé is d'fhéach sé ar an leabhar.

'Ní thabharfainn cac gé mar mhalairt air.' Is bhailigh sé leis.

Rugas liom an leabhar go dtí mo phluaisín sa lochta os cionn na mbó, is chromas ar a bheith á léamh. Bhí focail nár thuigeas, ach le cabhair na bpictiúirí chuas ina dtaithí. I lár na Nollag thiomáin an fuacht isteach cois na tine mé. Bhí m'athair beag beann ar an leabhar ar dtús, ach tar éis tamaill ní ligfeadh an fhiosracht dó gan spéis a chur sa rud. Thosaigh sé ag féachaint ar na pictiúirí, á moladh is á gcáineadh. Chabhraíos leis sa scéal.

Bhí sé glan i gcoinne Jesse James, ach Billy the Kid, b'in fear maith – an-*shot* aige, agus roinneadh sé a shlad ar na bochtáin. Ach diabhal as ifreann ba ea Dick Tracey, a raibh sluasaid mar smig air.

'Ní cheannóinn bó ná capall ó smig mar sin,' ar seisean.

Bhíodh mo mháthair cráite againn mar ná fágaimis an tinteán. Tháinig drochaimsir tar éis na Nollag, is sneachta suas go húll an dorais. Luíomar isteach i gceart ansin ar sheanchas an *annual*. Ní raibh Al Capone 'cneasta'. Bhí cloiste faoi na 'Dagos' aige ó Phoncánaigh an pharóiste – drochmheas aige orthu. Ní raibh aon díomá air nuair a chríochnaíomar an leabhar mar b'éigean tosú as an nua arís. Bhí an lándaiteacht ag imirt air. D'fhás muintearas idir mé féin agus m'athair an Nollaig sin, muintearas nár sháraigh éinne ó shin.

Lá Caille bhuaileas bóthar leis an leabhar. Bhí coscairt tagtha ar an sneachta, is mórthimpeall orm bhí sileadh, is na crainn ag ticeáil mar chloig – géim na habhann in imigéin.

'Tá an sneachta *alright* ach is fearr liom tuf-taf é ná ina phlub-phlab,' a deireadh m'athair. Ghluaiseas liom trasna na habhann ar na clocha a dtugaimis Snáthaidí na Gréine orthu. As go brách liom gur bhaineas an teach mór amach. Bhíos tnúthánach le Méirín a fheiceáil mar is cinnte gur bhraitheamar uainn a chéile.

Chrangas doras an tí mhóir, gur léim macalla pholl na litreach amach chugam. D'oscail Teddy an doras.

'Seo dhuit do leabhar, míle buíochas, Teddy, an dtabharfá Méirín amach chugam?'

Thog sé an leabhar, ansin: 'Wait there a minute.'

Chuaigh sé isteach is d'fhill láithreach le Mike Dan. Thóg Mike an leabhar ó Teddy is thug dom é.

'The book is yours, by, you gave us a goat for it.' D'fhéachas ar Teddy. Ba leasc liom Béarla a labhairt.

'Twass a sfop,' arsa mise.

'Twas no swap,' arsa Mike; 'twas a goat for a book,' ar seisean go mursanta liom – thar mar ba ghá.

'Bring Méirín to me out,' asa mise go stuacach.

'Méirín?' ar seisean le Teddy.

'The goat,' arsa Teddy.

D'fhéach Mike Dan orm agus é ag priocadh rud éigin as na fiacla.

'Leary, by, your goat is et, and that's all about it; take your book with you. Teidín, go in to your dinner.'

D'imigh Teddy.

'Sea, a gharsúin, prioc leat abhaile anois nó béarfaidh an oíche ort.

D'fhanas mar bheadh éan is goic air, mé ceangailte den talamh.
Phléasc an fhearg aníos ionam.

'Cad ba ghá dhuit mo ghabhairín a ithe, a bhathlaigh?
'D'úsáideas focal m'athar. D'fhéach Mike Dan timpeall mar
dhea.

'There's no bathlach around here, nor a goat naythur, just a fotter
from Gleann Easna. Mura dtugann tú na cosa leat, láithreach, ar
mo leabhar, go gcuirfead na gadhair ionat,' ar seisean, is phlab sé
an doras i m'aghaidh.

Chasas is thugas faoin mbóthar abhaile. Thugas liom an leabhar,
croí trom, agus íomhá. Im mheabhair d'fhan íomhá Mike Dan
ag an doras ag priocadh na bhfiacla lena mhéir. Faingí fada fiacla
iad mar a gheofá ar chapall, is ní fhéadfainn gan cuimhneamh ar
na fiacla céanna ag mungailt mo Mhéirín. An t-aon ruidín sa saol
a rabhas mór leis – agus mise an t-aon chosaint aige ar an saol.
Is dhíolas é is chaitheas a chuid feola chuig na beithígh sin, na
Connors. Ghéaraíos ar an gcoisíocht ar eagla go mbrisfeadh mo
ghol orm. Nuair a thángas chomh fada le Snáthaidí na Gréine,
sheasas ar an gcloch láir, is d'osclaíos an leabhar. D'fhéachas ar
na pictiúirí.

Bhí sé ag gabháil ó sholas, is scáth na Snáthaidí ag scaradh leis
an sruth.

D'fhéachas ar Dick Tracey: ní raibh aon oidhre air ach Mike
Dan – na fiacla céanna. Níor thaise do Bhilly the Kid is do
Mhugs Larkin é. Ní raibh iontu ach na Connors, gach diabhal

duine acu, is teanga dhamanta na Connors á labhairt acu. Stracas Tracey le fíoch, agus Superman is iad go léir, is chaitheas san uisce iad. D'fhéachas ar na leathanaigh ag imeacht mar dhuilliúr ar bharr tuile. Is geal le croí dubh an ghráin. Ba é díol an chomhair é, dá laghad é mar iarracht.

Chuireas an clúdach ag léimneach d'ucht na habhann gur ghreamaigh sé sna feileastraim.

Bhailíos liom. Focal faoi ní fhéadfainn a rá lem mhuintir nó bheadh sé ina chogadh dearg idir an dá chlann is mo mháthair ar buile chugam.

Bhaineas an teach amach. Pioc níor itheas ach d'fhan cois na tine im thost. Bhí m'athair suite trasna uaim is gan focal as. Sa deireadh d'éirigh sé is bhain searradh as, is labhair leis na frathacha.

'Is sleamhain iad leaca an tí mhóir,' ar seisean, is bhailigh leis a luí.

Slaughterhouse
An Seamlas

In áit éigin bhí cogadh thart. D'fhan an tráthnóna ina staic;
ní thiocfadh is ní imeodh sé. Bhí simné sa tslí ar an ngrian
arís. Anois is arís chloiseadh Colm sodar binn asail amuigh sa
tsráid nó coiscéim ramharbhrógach feirmeora ag éalú leis ón
margadh.

Níl aon athair sa scéal — duine eile.

Bhí Colm ina shuí i gcathaoir a Dhaid. Cé go raibh Daid marbh
le fada bhí sé tar éis buanaíocht a bhaint amach dó féin an uair
a dhein sé an chathaoir seo don teach. Cosa agus uillinneacha
déanta de dhair théagartha; bhronn siad tathag ar an ngarsún
leochaileach. Ba bhreá leis bheith ina shuí inti, go mór mór
nuair a bhí fonn machnaimh air. Um an dtaca seo bhí sé an-
ghnóthach lena chuid smaointe. Cén fáth a raibh sé suite ansin
ag déanamh uaignis? Cad é an t-ocras a bhí ag ídiú na scairte
ann istigh? Ní fhéadfadh sé é a shásamh mar ní raibh an leigheas
ar eolas aige: milseán, slat iascaigh nua, cara, *comic*? Ní fheadair
sé. Ní fheadair sé faic. Ghlac sé leis mar mhothú nua eile ina thrí
bliana déag go leith.

Tá an madra níos sine ná é féin.
Theastaigh sé an madra a mharú —
tá sé breoite.

Bhí níos mó ná sin ag dó na géirbe aige: bhí air a ghadhar a
mharú. Inniu an lá spriocálta, díreach anois. D'fhéach sé ar
Reics a bhí sínte os comhair na tine, leathshúil ag faire. Brocaire
guaireach bán a bhí ann, ach bhí rud éigin dearg ag leathadh
ina lasair ar fud a dhroma. Bhí fear conairte tar éis teacht ag
féachaint air.

an misneach a fháil chun an
madra a mharú.

'Bí réidh leis,' ar seisean.

Seanthas — áit ina maireann
ainmhithe

'An bhfuil aon leigheas air, a dhuine uasail?'

'Níl.' D'imigh sé agus gráin air.

Shuigh sé sa chathaoir; bhraith sé fearúlacht chuige ón dair amach, dair a Dhaid. Sea, mharódh sé a sheanpháirtí. Mhúscail sé é féin; mhúch sé an leath*woodbine* is chuir sé i bhfolach é i gceann de na poill rúnda ina chasóg. D'oscail sé an fhuinneog chun an t-aer a ghlanadh, ní le heagla roimh a mháthair ach le meas uirthi; bíonn tuiscint de ghnáth idir baintreach agus aonmhac.

Ní raibh aon iall aige do Reics. B'éigean dó dul ag cuardach mar bheadh air an gadhar a tharraingt inniu. Níorbh aon amadán é Reics. D'aimsigh sé seanróba folctha a raibh crios dearg síoda air. Ní raibh aon fholcadán sa teach. Bhí gach geoin as an ngadhar nuair a bhraith sé an rud timpeall a mhuiníl. 'Seo leat, a ghadhairín'; ní fhéachfadh an gadhar air. Chuaigh sé de bhréithre milse air. Ní bhogfadh sé. Tharraing sé trasna na cistine é, a ingne ag díoscán ag iarraidh greim a fháil ar na leacacha caite. Bhí greim béil ag Reics ar an iall faoin am seo, nimh ina shúil chuige. Tarraingíodh ar aghaidh é síos an tsráid. Ba bhrú ar an misneach ag an ngarsún é; a pháirtí féin á tharraingt chun na croiche. Gheall a mháthair píóg úll i gcomhair an tsuipéir dó. Agus uachtar, b'fhéidir. Níor leor é.

Bhí Reics ag sleamhnú ar a thóin, ag titim nó ag éirí, gach sceamh as, cúr lena dhraid. D'fhéach Colm thar a ghualainn. Bhí eagla air go bhfeicfeadh éinne an gaol ainnis seo idir gadhar is máistir. Chas sé ar clé suas lána. Bhí sé in Oileán na nGé. Rún mór ba ea Oileán na nGé. Cá raibh an t-oileán? Cá raibh na géanna? Níor mhair an freagra i gcuimhne an té ba shine ar an mbaile. Tráth dá raibh mhair na huaisle ann, ansin tionóntaí, ansin lucht slumaí. Anois bhí an ceantar tréigthe acu siúd fiú amháin. Ní raibh a fhios ag éinne cér leis é; is ba chuma, mar ní raibh de thairbhe san áit ach mar bhall suirí istoíche agus mar sheamlas sa lá. Ceardaithe maithe a thóg na simnéithe, ní foláir, mar níor fhan ina seasamh ach iad. Bhí fallaí na dtithe go léir leagtha nach mór, a gcuid cloch is brící leata faoin ngrian. Coill shimnéithe ag taibhreamh ar sheanghalántacht.

Go tobann d'éirigh Reics as an troid. B'iúd roimh Cholm amach é, eireaball in airde, faobhar chun siúil air. Shiúil siad go mall ag seachaint na linnte múnlaigh a bhí ar fud an lána; solas lag an tráthnóna ar bogadh iontu. Stop sé ag doras an tseamlais. Fothrach a raibh díon air ba ea é. D'fhéach sé isteach; cé go bhfaca sé go minic é, chuir an radharc scáth air i gcónaí. Sraitheanna conablach caorach ar crochadh go néata de na frathacha. An solas trí bharraí na fuinneoige bige ag bualadh mogall orthu. Bhí a gcliatháin dhearga ar cráindó sa chlapsholas. Bhí an cuaille báis ina sheasamh sa chúinne, fáinne iarainn glé air. Cheangail sé Reics de. In áit éigin amuigh sa chlós bhí an roth faobhair ag crónán, uirlisí búistéara á n-ullmhú chun áir. Lig an gadhar geoin as.

Chuir an crónán eagla ar an mbuachaill, ach spreag sé chomh maith é. Ba é seo an t-aon áit sa bhaile mór a raibh aon rud suimiúil ag titim amach ann. Is minic a chaith sé féin is a chompánaigh uaireanta fada ag féachaint nuair a bheadh marú mór ar siúl: cúig chaora, dhá bheithíoch, muc nó dhó. Gheit a chroí nuair a chuimhnigh sé ar an lá a d'éalaigh an bullán. Bhris sé an téad nuair a fuair sé boladh na fola, réab sé an doras amach, é bolgshúileach le scéin, búirtheach uafásach as, is d'imigh ina ainmhí buile ar fud Oileán na nGé ag leagadh fallaí, ag scaipeadh brící is moirtéil. Ach theanntaigh na fir é, agus tharraing lámha agus téada láidre ar ais go cuaille an bháis é, mar ní raibh aon éalú as Oileán na nGé.

Shiúil sé go cúldoras an tseamlais is d'fhéach amach ar an gclós. Thall sa chúinne bhí an carn ionathar. Croíthe, ionathair, boilg, aenna, putóga, cosa caorach, cloigne bó, eireabaill de gach sórt; bhí éagsúlacht gach datha ar an gcarn ach chuir sé déistin ar Cholm.

Tháinig sé isteach i gcrónacht an tseamlais is dhein sé a shlí trí na conablaigh, sall go dtí raca na n-uirlisí. Bhí raon maith de sceana búistéara gafa go néata ann. D'fhair sé iad ar feadh i bhfad – iad cuarach, glé, ainspianta. Thóg sé anuas an ceann ba mharfaí dá raibh ann, corrán feola. D'fháisc a ghreim ar an gcois dhubh. Thriail sé an faobhar lena lúidín. Bhí sé mar rásúr. Ghearr sé an t-aer cúpla uair; sháigh sé roimhe; sháigh arís. Ba bhreá leis é a thástáil ar rud éigin, mar ghéag crainn. Flip amháin agus bheadh an bheart déanta. Nó leaba raithní; rachadh sé tríd, faoi agus thairis.

Go tobann d'airigh sé an gadhar ag geonaíl. Bhí na cluasa ina seasamh, a shúile boga ag ceistiú, súile nach bhféadfadh fonn a mháistir a mheas. Smeach Colm a bhéal cúpla uair. Bhí an gadhar sásta.

Ghread bróga sáiliarainn trasna an chlóis. Dhorchaigh Tadhg Ó Muirí an seamlas ar fad nuair a tháinig sé an doras isteach.

'Cuir uait é sin nó bainfidh sé an lámh díot,' ar seisean go giorraisc, agus d'fhág sé na conablaigh ag luascadh ina dhiaidh. Chroch sé dhá thua agus spólaire ar an raca. 'Beidh marú mór ann amárach, a mhic; sé cinn de bheithígh. Sé bhullán mhéithe, oiread is a bheathódh arm fear.'

D'fhéach Colm suas ar na lámha téagartha ruainneacha. Bhí fuil orthu. Agus fuil ar na naprún leathair. D'fhair sé an aghaidh chíríneach bheathaithe. Bhí snas air le flúirse; stéig trí huaire sa lá, a dúradh.

'Is dócha go bhfuil rud éigin uait.'

'B'fhéidir go marófá an gadhar dom.'

'Cén fáth nach marófá féin é?' ar seisean go míchéatach.

'Bhuel, dúras le Mam go mbáfainn sa chanáil é ach thosaigh sí ag gol.'

'Níor dhein, a dhiabhail!' ar seisean, agus thosaigh sé ag spóladh gearrthóga anuas de chonablach reithe.

'Ó, dhein. Is amhlaidh a thug Daid an gadhar di mar bhronntanas sular rugadh mise. Tá Reics ceithre mhí go leith níos sine ná mise.'

'Ambaist. Féach air sin anois.'

'Dúras go gcaillfinn ar an sliabh é ach ní éisteodh sí leis sin. Tá sí an-cheanúil air.'

'Sea, chuir sí síos anseo chugamsa thú?' Bhí an búistéir teasaí.

'Bhuel, níor chuir. D'fhág sí fúm féin é,' ar seisean le laochas.

'B'fhéidir go n-úsáidfeá an gunna air.'

Leag sé uaidh an scian go grod. 'Dhera, fuil is gráin ort! An gceapann an baile gur anuas ón spéir a thagann na piléir chugam?'

Chúb an garsún chuige féin; d'fhéach sé síos ar an talamh.

'Dúirt Mam go raibh tusa agus Daid "amuigh" le chéile aimsir na trioblóide.'

Bhog sin smuilc an bhúistéara. Bhí cathú ina ghuth.

'Sea, a gharsúin; cinnte, siúráilte, maród do ghadhairín duit. 'Sé is lú is gann dom a dhéanamh do mhac Thomáis Mhóir.' Lean sé den spóladh.

'An raibh Daid mór dáiríre?'

Thug Tadhg Ó Muirí féachaint aisteach air. 'Mór, an ea? Fathach, a mhic, fathach.' Freagra an-sásúil.

'Ach an raibh sé láidir?'

Leag an búistéir a scian ar an mbord. 'Láidir a deir tú?' D'fhéach sé timpeall an tseamlais ag lorg rud éigin trom. D'aimsigh sé conablach bulláin. Thóg sé ina ghabháil é; dhein sé iarracht é a

ardú, rud a chuir straidhn air. 'Thógfadh Tomás Mór an bullán
sin gan stró,' ar seisean agus saothar air. Bhí an búistéir sásta le
taitneamh na súl ón mbuachaill. Shiúil sé trasna go dtí cuaille
an bháis is d'fhéach sí síos ar Reics. 'Sea, déanfad an bheart air
i gceann scathaimhín. Cogar! An bhfuil aon mhaith ann mar
fhrancóir?'

'Is ar éigean é, faoi láthair ach go háirithe. Chuala go raibh
trioblóid agat leis na francaigh.'

Trioblóid? Níor lú liom an Gorta ná iad, na diabhail bhradacha
dhubha.' Bhuail sé buille dá sháil iarainn ar na leaca, mar
dhea chun rún a sceitheadh ar an áitreabh. 'Sea; tá gá agam le
francóir – gearrghadhar ocrach, tanaí, mallaithe. 'Íosa Críost na
bhFlaitheas! Ní foláir nó tá milliún acu thíos ansin fúinn. Gabh
i ngaiste iad; fág nimh dóibh; séid deatach fúthu; dóigh iad;
báigh iad; is cuma, bíd ar ais arís lá arna mhárach.' D'fhéach
sé ar na conablaigh ar crochadh. 'A bhuí le Dia nach bhfuil
sciathán ar na bastaird nó bheadh an baile seo gan feoil!'

Chuaigh sé amach sa chlós. Ghlaoigh sé amach ar Cholm. Bhí
sé ag féachaint ar an gcarn ionathar. Bhí ionathar fada caorach
á tharraingt síos poll san fhalla. Thóg Tadhg cnámh den talamh
is chaith leis an bhfalla é. Bhuail sé ina choinne go toll, bodhar.
Stop an t-ionathar, ach i gceann cúpla soicind b'iúd ar siúl an
tarraingt arís.

'An dtuigeann tú leat mé? Níl aon bhuachan orthu. An bhfuil a
fhios agat, léigh mé rud uafásach i leabhar tráth,' agus spól sé an

t-aer le scian chun cur le fírinne an scéil. 'Léigh mé go raibh na francaigh chomh cliste sin go bhféadfaidís bheith ina máistrí ar an domhan seo.'

'Cad 'na thaobh nach bhfuilid, mar sin?' arsa Colm

Bhí an búistéir i bponc. Chrom sé a cheann i leataobh. 'Ní dúirt an leabhar é sin. Is dócha gur stop ár dTiarna iad,' ar seisean go simplí.

D'iompaigh an bheirt ar a sála agus d'fhág siad solas lag an tráthnóna. Sall leo go raca na n-uirlisí. Níor fhéach ceachtar acu ar Reics. D'fhan sé go cliathánach ar a thóin gan súil a bhaint dá mháistir. Bhí a eireaball ag crith go ceisteach sa tuí; lig sé geoin íseal as, cluas amháin in airde, ach níor tugadh aon aird air. Ní gnáth-thráthnóna a bhí ann.

Thug Tadhg tua do Cholm, shuigh sé ar stól agus thosaigh a chosa ag oibriú na dtroithéan. Chas an roth faobhair agus líon an seamlas le ceol na lainne. 'Síos, níos mó, nó millfidh tú an faobhar orm.' Léim na spréacha aníos ag ruaigeadh na meirge. Bhraith Colm compord mór i sáfach cuarach na tua. Ní raibh aon tua acu sa bhaile. Bhí iontaoibh ag Tadhg as, a rá gur chuir sé uirlis mharfach mar seo ina lámh.

'Sin é an fáth gur fuath liomsa francaigh. Bíd ann ach ní fheiceann tú iad.'

'Chonac ceann,' arsa Colm go dúshlánach.

'B'fhéidir go bhfaca tú, ach an bhfaca tú na mílte eile a bhí ag faire ort?'

'Ní fhaca, is dócha.'

'Sin agat é, a mhic. Bíd ann ach ní fheiceann tú iad.'

Thóg sé an tua trasna go solas na fuinneoige is d'fhéach sé ar an gcorrán glé. Bhí sé sásta. 'Tá faobhar ar cheann de na rudaí is tábhachtaí dá bhfuil ann. Giorraíonn sé gnó an tsaoil duit.'

Chroch sé an tua agus thóg sé anuas, as poll os cionn an raca, birtín ceirteacha. D'oscail sé é agus bhí an gunna ina lámh. Gunnán rotha dúghorm a bhí ann. Bhris sé é, chas sé é, chnag sé é. Bhí Colm meallta ar fad aige. Dhruid sé suas leis. 'Déan é sin arís, a Thaidhg.' Chas Tadhg cúpla uair eile é agus chnag sé é. Fuaimeanna éifeachtúla marfacha.

'Sea, bí amuigh led' ghadhar, taobh le binn a' tí.'

'Cad 'na thaobh binn a' tí?'

'Mar tá cré ann chun é a chur, a mhic; cré!'

Scaoil sé Reics den chuaille; bhí áthas ar an ngadhar bheith saor arís agus b'iúd amach é, Colm ag freastal ar chorda aige. D'fhan siad amuigh go dtí gur tháinig Tadhg.

'Suigh,' arsa Colm go máistriúil, agus chnag sé a mhéireanna le chéile. Shuigh an gadhar go leisciúil agus ceist air.

'An dóigh leat go bhfanfaidh sé ina shuí?' arsa Tadhg ag dul ar leathghlúin.

'Fanfaidh,' ar seisean go bródúil. 'Tá sé traenáilte go maith agam.'

'Mhuise, b'in é an traenáil in aisce, mar i gceann soicind beidh sé chomh marbh le hOileán na nGé.'

D'fhéach sé ar an ngadhar go cruinn.

'Is ait liom sin,' a dúirt sé. 'Tá a shrón chomh tais snasta le sméar dubh.'

'Cad mar gheall air?'

'Sin comhartha na sláinte i madraí. Nach raibh a fhios agat? Agus tá galar air seo. Ba cheart dó bheith tirim.' Chun é a thástáil dó féin leag sé a mhéar ar an gcaincín. Chas teanga bhándearg timpeall a mhéire, is chrom an teanga ag lí a láimhe fuiltí suas go rosta. Níor tarraingíodh an lámh siar. 'Mhuise, nach tú an gadhairín deas; sea, gadhairín breá macánta. Ó, an-bhuachaill ar fad, ar fad,' ar seisean de chrónán. 'Agus súile deasa i gcloigeann córach. D'aithneofá air nach aon chros é. Agus níl aon leigheas air?'

'Níl; mór an feall.'

D'éirigh Tadhg. 'Sea, a mhic Uí Mhuircheartaigh, caithfidh tú do ghadhar féin a lámhach.' ~~to shoot your own dog~~

Baineadh stangadh as Colm; níor thuig sé.

'Mise? Cad 'na thaobh mise?'

'"Fear na bó féin faoina heireaball"' ~~The man who owns the cow should be under his tail~~

'Ó, ní fhéadfainnse é a mharú in aon chor. Mhaireas mo shaol leis. Nach búistéir tusa?' ~~butcher~~

Bhí gráin ar Thadhg. 'Is búistéir mé ceart go leor. Maraím gach aon saghas beithígh a thagann chugam, ach ní fhéachaim ar na súile. Cuma cén t-ainmhí atá i gceist, tá rud amháin ag baint le súile: táid go léir daonna.'

'Ní fhéadfainn é a aimsiú leis an ngunna; níl aon chur amach agam orthu.'

'Dhera ní fhéadfá gan é a aimsiú leis seo.' Dhún sé súil amháin agus ghlac sé amas ar sheanbhuicéad meirgeach, fuinneoga, agus simnéithe i gcéin.

Chnag sé an greamán sábhála agus cuireadh an gunna i lámha an gharsúin. Bhraith sé cumhacht mhór ina lámh. D'fhéadfadh sé éirí as lár an ranga agus an Bráthair de Barra a phlástaráil leis an gclár dubh. D'fhéadfadh sé siúl síos Sráid an Chaisleáin lá aonaigh, an gunna ina lámh, ach chuirfeadh sé idir fheirmeoirí agus mhangairí éisc ag teitheadh uaidh.

'Seo leat, tá an lá nach mór istigh.'

Chuaigh an ghrian siar thar an simné ab airde agus ghearr a scáth Oileán na nGé ina dhá leath.

''Bhfuil cead agam cleachtadh ar rud éigin ar dtús?'

'Níl na piléir agam.'

''Bhfuil cead agam amas a ghlacadh ar rudaí, mar sin?'

'Tá, ach brostaigh ort nó bainfidh mé díot é.'

Bhí údar scéin agus sceitimíní air. Bhí a lámh ar crith. D'ardaigh sé an gunna agus dhírigh sé ar an aon fhalla a bhí ina sheasamh. D'fhéach súil an ghunnadóra síos an bairille; phioc sé amach an bior amais. Bhí sé i gceartlár an fhalla. Bhraith sé cumhacht a aigne, a choirp, an anama agus imeacht sa rás síos a lámha is amach tríd an mbairille. D'fhéadfadh sé bearna a réabadh tríd an bhfalla, ag scaipeadh cloch i ngach treo. Bhí a lámh socair anois.

'Scaoil!' Bhí guth an bhúistéara mar lasc.

Chas an garsún; shuigh an gadhar; d'fhair an búistéir. Chualathas pléasc, chonacthas ruaim dhearg, agus an bháine ag tabhairt na gcor. Leath an phléasc ar fud an Oileáin ag múscailt na gcúinní. As gach simné léim na mílte druid, go dtí go raibh an áit tiubh le sciatháin. Bhí an gunna tar éis preabadh ina lámh, rud nach raibh coinne aige leis. Bhí an fhuaim tar éis gabháil isteach ar fud a choirp, ag sciomradh síos isteach ina anam. Níor bhraith sé na méara láidre ag baint an ghunna as a lámha. Níor bhraith sé faic ach ceist. Cad a bhí déanta aige?

Bhí na simnéithe ag sú na ndruideanna ar ais mar níor thug siad ar dtús ach ar iasacht iad. D'fhéach sé síos ar an ngadhar arís: gunna . . . lámhach . . . marbh . . . gadhar . . . bás. Ní raibh iontu roimhe seo ach focail. Chrom sé síos agus cnap ina scornach. 'Reics?' ar seisean. Chuir an deirge agus an bháine uafás air. 'Reics?' ar seisean arís, ach ní ceist a bhí ann an turas seo ach ráiteas.

'Tá do ghadhar marbh. Lámhachais é,' arsa Tadhg ag gabháil

thairis. 'Sin rámhainn duit; bí ag baint.'

Is ar éigean a chuala an garsún é, agus é ar a chorraghiob ag iarraidh cúrsa a thuiscint. Tharla gach rud róthapa dó.

'Ní raibh uaim é a lámhach. Tusa faoi deara é.' Bhí an cnap ag tachtadh na bhfocal air.

Sháigh Tadhg an rámhainn sa chré lena chois. 'Dhera cad ab áil leat de, agus an galar air?'

'Ba chuma liom faoin ngalar. D'fhéadfainn bheith ag siúl leis anois.' D'éalaigh deoir leadránach síos a phluc.

'Dhera, fastaím! Ní haon leanbh anois thú. Ní chuirfeadh do mháthair suas leis an ngalar.'

'Ó, chuirfeadh, chuirfeadh,' ar seisean ag smugaíl.

Bhris ar an bhfoighne ag an mbúistéir. 'Th'anam 'on diabhal, cad 'na thaobh gur mharaís mar sin é?'

'Mar d'fhág sí fúmsa é,' agus phléasc sé amach ag gol.

I gceann tamaill chur na deora náire air féin agus thug sé a dhroim leis an mbúistéir. Thosaigh sé ag baint poill. Bhailigh Tadhg leis isteach sa seamlas. Bhí sé deacair an poll a bhaint mar bhí an chré lán de sheanghréithe, dúidíní cré, scrogaill bhuidéal agus nithe nach iad. D'airigh sé an guth istigh sa seamlas: 'Gheobhaidh mé coileán duit amach anseo; don bheirt agaibh. Abair é sin le do mháthair.'

Níor tugadh freagra.

Sháigh Tadhg a cheann timpeall an dorais agus chonaic sé Colm ag ligean a scíthe.

'Cuir go domhain é; cuimhnigh ar na francaigh,' agus chualathas an tsáil iarainn ag gabháil de bhuillí ar na leaca. Chuir sin taom masmais ar Cholm; bhraith sé na francaigh mórthimpeall air, na mílte súil ag faire air. Dhein sé iarracht an poll a dhoimhniú ach chuaigh de, mar bhí lagachar ag teacht ar a ghreim.

Tháinig Tadhg chuige, thóg sé uaidh an rámhainn agus thosaigh sé ag rómhar, ag sracadh, ag réabadh na talún. Bhí cith cloch agus brící á sluaisteáil aníos, an rámhainn á folcadh go domhain san uaigh. Dhein Colm dearmad ar a chás féin chun iontas a dhéanamh den obair. Bhí an-mheas aige ar neart. Bhí a fhios ag Tadhg go raibh sé ag tabhairt ceachta don scoláire. Chuir sé an gadhar ina chnóisín bán san uaigh is mhúch sé é go deo faoi shearmanas gréithe, cloch, is cré. D'éirigh tulach bheag os cionn na talún, ach bhuail Tadhg é go dtí go raibh sé cruinn deas. Bhí allas agus saothar air. 'Sea, bí ag priocadh leat abhaile. Abair leis an mbaile mór nach bhfuilim ag lámhach a thuilleadh madraí. Tá lá an tseamlais istigh. *Abattoir* an focal nua air. Beimid ag fágaint Oileán na nGé.'

D'éalaigh Colm leis. Bhí na scáthanna ag síneadh tar éis bhrothall an lae. Sula i bhfad bheadh an áit in aon scáth amháin. Bhí an áit róchiúin. Chrith sé. 'Hé! Hé!' chas sé; bhí Tadhg ag glaoch air, an crios síoda dearg ina lámh. 'Tá gnó agam de seo mura bhfuil sé uait.'.

'Bíodh sé agat, agus fáilte.' Ní raibh aon fholcadán acu sa bhaile. Shiúil sé leis go tapa gur bhain an tsráid amach. Sciuird cairt thairis, an feirmeoir ar meisce, ag amhránaíocht dó féin, agus ag bualadh an chapaill. Gnáthradharc ba ea é; chuir sé suaimhneas ar aigne an gharsúin. Bhrostaigh sé leis abhaile go dtí caint a mháthar, pióg úll agus uachtar, b'fhéidir.

Gadaithe

- Seanathair an buachaill tar éis bás a fháil.
- athrú saol.

'Éirigh, a thaisce mo chroí, is dtí'n úllghort ~~orchard~~ siar cuir díot, mar a bhfuil an ghrian ag díbirt an earraigh de thorthaí, is Maimeo ina suí faoi leithead an lae. Is más oscailte dá radharc ar ghealas an tsaoil, abairse léi 'anocht sa spéir beidh bearna mar a mbíodh an réalta úd ar sceanadh tráth.' Ach más trom a hanáil i dtaibhreamh a sean-ógh, fan leat go bhfille sí ar an úlldomhan.'

Don úllghort ghabhas, is d'éist le taibhreamh spéirghealaí Mhaimeo; is leis na feithidí ag tochras na gclog san fhéar tur. Seanasal as faoin *lilac* d'fhair sinn, is b'ionadh liom daonscing a shúl, is a eireaball ag clipeadh na scáth de ghéagaibh. Gach snapadh ag gadhar ar bheacha curtha dá dtreoir ag ilmhilseacht úllghoirt. Gríos-silíní d'itheas, pluma is dhá shú craobh, is as barr an chrainn an chéirseach scaoil a rann:

A ghrís gach úill is a úill gach grís,
Scaipeas bhur mos ar aer,
Ar an domhan mall cruinn 'sea lingfidh sibh,
Mar den domhan mall cruinn gach caor,
Díreach, cam is cruinn anuas,
Úll is crann is duine,
Mar a gcomórfadh bás i bhfuath-anás,
Siar go heireaball linne.

D'éalaigh scáth na ngéag gur thit ar aghaidh Mhaimeo, gur dhúisigh sí is gur chuala sí go raibh réalta i ndiaidh titim. 'Barra réalta chonac á dtreascairt, is a dtitim ag bochtú na spéire. Cá miste dom ceann breise' ar sise á díriú féin. 'Seo, fágaimis goimh na gréine ag na torthaí atá ina gá, is bainimis amach fionnuaire an dóláis.

Rug sí ar lámh orm is sheol go doras an tí mé mar ar uraigh a scáth an chistin. Bhuail sí isteach. D'éirigh a raibh istigh, is tháinig m'athair chuici is chuir caint uirthi, 'an gleann tréigthe ag croí eile, a mháithrín ó'.

Labhair Donncha Breac Mac Gearailt, gaol gairid, léi. 'A Mháire Mhuiris Thaidhg, d'fhuil uasal na gCarrthach Samhna, gura fada buan don chroí úd ag bualadh i gcroí an alltair.'

D'fhreagair Maimeo. 'Níl poll ann, dá mhéid, do chroí dá leithéid, ach bánta cumha na síoraíochta. Féach an tréan ar lár! Mar sin atá sé scríofa. Croí eile ar lár, beirimis urraim do na mairbh.' D'éist a raibh sa teach, is roinn gach tic ón gclog an tost – scair ghlan an duine againn. Ghluais sí trasna an urláir, gur sháigh sí méar cham trí laitís an chloig, gur cheap sí an tormán práis i lár toca. De phreib bhí an tost teite, agus ba í fuaim a chualathas ná fuaim tuirnín ina stailc. Ansin síos léi chun an tseomra. Níor labhair éinne mar sa ghleann seo againne is lenár gciúnas a ghéilltear urraim.

D'fhill sí is chuir caint ar lucht na cistine. 'Nach feasach daoibh conas ómós a bhreith do na mairbh? Nach feasach daoibh go bhfuil a shúile gan iamh ar náire an tsaoil seo? Iatar anuas go brách na mogaill ar a dhomhan roscdhéanta. Tugtar boinn dom atá trom; beirtear onóir dá shúile le seanairgead.'

Chuathas ina nduine is ina nduine de réir gaoil chun slán

a fhágáil ag Daideo: a mhuintir féin, muintir mo mháthar, comharsana, cairde. Agus ansin na rudaí beaga. 'Téirse go dtí do Dhaideo,' ar sise, 'is póg an cloigeann a thug gean duit thar chách. Mar istoíche chaintíodh sibh an teas as an tine, is do líon sé do mheabhair le heolas chomh sean leis na goirt.'

Ba gheal liom a dtost in onóir dom is mé ag dul faoi dhéin an tseomra. Faoi chuilt paistí a bhí sé. Bhí eolas pearsanta agam ar chuid mhaith de na paistí céanna ina 'mbeatha' dóibh: corda an rí liathdhonn óm sheanchasóg, muislín dearg ó bhlús, ceaileacó uaine ó chuirtín, poiplín gorm ó léine, bréidín liath ó veist, síoda bándearg ó chóta-leathistigh, línéadach odhar ó éadach boird, sról bán ó ghúna pósta, veilbhit oráiste ó adhairtín, olann donn ó scairf, carbhat órga, breac faoina dhá dhorn. Marmar fuar ón teampall a aghaidh, gruaig is féasóg in aimhréidh liath. Agus mar a raibh dhá shúil, dhá bhonn d'airgead geal, ceann acu agus stail air agus na focail scríofa air 'leathchoróin'; Éire, 1947' scríofa ar an gceann eile. Solas na fuinneoige ag fústráil timpeall a chloiginn.

Go tobann sciorr an stail a leiceann anuas, is léim de ghliogar trasna an urláir; ghreamaigh an ghrian de shúil donn a chuir béimghríos siar go cúl mo chinn. Fuar-rosc ón alltar ba ea é. Screadas is rásaíos suas chun an tinteáin. D'fhógraíos nárbh é Daideo? Leanas den bhéiceach gur fháisc mo mháthair lena croí mé. 'Éist!' ar sise, 'níor imigh seoid á bharra ort, agus féach gur Daideo atá ann mar tá sé marbh.' Ansin a thuigeas. D'fhéachas im thimpeall agus scard orm. Sea, ní bheadh sé romham cois tine anocht. Ná aon oíche eile. D'fhás an t-eagla ionam, agus d'fhaireas na haghaidheanna im thimpeall sa chistin.. Cé a dhéanfadh mé a chosaint anois? Ghabh freang tríom.

Seo ar ais Maimeo agus í an-ghearánach orainn. 'Chonac náire tráth i dteach tórraimh mar a raibh fear ar thug tarbh adharc dó agus é tar éis dhá uair a' chloig a thabhairt ag stánadh ar splinc na spéire sara bhfuaireadar é. Thug sé oíche an tórraimh ag caitheamh pinginí san aer. Mór an náire, mór an náire! Nach feasach daoibh gurb iad mogaill na súl tearmann deiridh an anama ghlic agus gur le miotal fuar amháin a bhogtar chun siúil é.'

D'imigh na fir ag ól sa déirí. M'athair go dtí na ba. Ní raibh fágtha ach mná. Sciuirdeadar de thapaigean chun gnótha mar a dhéanfadh mná. Tógadh amach scuabanna, mapanna, sciomarthóirí, ceirteacha, buicéid uisce, gallúnach charbólach. Crochadh cuirtiní ar an bhfuinneog. Caitheadh cuiginn, buicéad sciodair, málaí mine agus madraí amach an doras iata. Isteach doras an tí tháinig na comharsana agus iasachtaí áraistí acu dúinn. Hainí na hEisce Ní Shé agus mias *willow* mhór gheal aici. Cuireadh ar a faobhar ar an drisiúr é. 'Beannacht leis an té a cheannaigh é is leis an mbean a thug léi é,' arsa mo mháthair. Spúnóga d'airgead geal ó Neil n'fheadar Ní Laoire. Síle na Duimhche Ní Shúilleabháin agus líneadach bán don bhord aici; Nóiní Bhrothall Ní Mhurchú le mias d'airgead geal ar a raibh cloigeann uachtarán éigin Mheiriceá; cuireadh le mórtas i lár an bhoird í. Trí phunt tae, coinnleoir práis agus trí smuta dhearga den Nollaig fós iontu ó Ghobnait an Choinicéir Ní Fhoghlú; ach nuair a tháinig Eibhlín *Genitive Case* Ní Mhuineacháin (clann an mháistir) leis na gloiní póirt scoir gach éinne dá ghnó chun féachaint orthu. Ba de chriostal iad agus glioscarnach ghloine bhriste á cur uathu. Coinneal reo fhada chaol gach cos.

D'fhéach mo mháthair chomh tnúthánach sin orthu gur thuigeas go malartódh sí mé ar dhosaen acu. 'Nach triopallach atáid!' arsa bean díobh, 'ach an seasóidh siad an deoch?'

Ghabh trucail isteach san iothlainn agus arán, subh, sac pórtair, uisce beatha, tobac, agus póirt do na mná is na páistí ar bord ann. Leath Seáiní na gCreach Ó Ceallaigh urlár coille de raithneach ar fud na gcarn aoiligh, gur dhein farraige chumhra ghlas díobh.

Bhíogas de phreib. An Gadaí Rua! Bhí Daideo, seanchaí, tar éis é a fhágáil i mbarr crainn aréir sarar thit a chodladh air cois tine. Bhí cáit mhóra ag bun an chrainn. Bhíodar fíochmhar. 'Cad a tharla don Ghadaí Rua?' arsa mise. Toradh ní bhfuaireas. Bhéiceas orthu, 'cad a tharla don Ghadaí Rua?'

'Cad tá ar an ngarsún?' arsa bean acu.

D'insíos dóibh. 'Níl ann ach scéal,' arsa mo mháthair, is ghéaraigh sí ar an sciomradh. D'impíos orthu é a insint dom, mar gadaí maith ba ea é a dhein mé a mhealladh lena chuid gaisce is draíochta oíche as a chéile. Ach thug Maimeo aghaidh orm.

'Níl ach gadaí amháin sa teach seo anocht is tiocfaidh sé orainn amach anseo is ardóidh sé leis an snas as ár súil, duine ar dhuine.'

I gceann tamaill d'fhiafraíos díobh an mbéarfadh na cait mhóra air. I ngéire a chuaigh an sciomradh, deora allais óm mháthair ar an urlár anuas. Ansin stad sí is labhair sí leis na mná. 'A mhná uaisle, ní hé seo an t-ionú chuige agus Daideo ag dul i bhfad is i bhfuaire uainn, ach is amhlaidh a líon sé meabhair an gharsúin sin le seafóid is scéalta ón seanshaol. É ar fad sa Ghaeilge. Níl focal Béarla ina phluic aige. Cad a dhéanfaimid leis in aon chor agus teanga an Bhéarla ag gabháil stealladh ar an ngleann, is gach cnag aige ar an doras mar a bheadh seirbheálaí barántais. Cheana féin tá Súilleabhánaigh Chrón na Scríne tite leis. Is níl le clos anois le hais a dtinteáin ach an teanga ghallda. An bhfuilimidne Carrthaigh le bheith in eireaball an fhaisin? Is bocht is is crua an scéal é ach sin mar atá.'

D'fhreagair Cáit Casúr Ní Chinnéide. 'Sea, chomh siúráilte is a ghluaiseann ceo de dhroim an tsléibhe anuas, seo aníos chugainn níos ciúine fós an Béarla. I gcuntais Dé ach is glóraí solas na gealaí ná an Béarla ag snámh trasna na tíre.'

Tá an Gaeilge ag imeacht.

Lean mo mháthair den sciomradh is den ghearán, 'agus scéalta agus seanráite agus rannta, iad ar fad sa Ghaeilge!' bhain sí na timpill as an scuaibín agus ba é an snas a bhris tríd an urlár amach ná snas an Bhéarla.

Chuas go dtí na fir sa déirí, d'inseoidís siúd dom é, fearaibh iad na fearaibh. Bhíodar suite i bhfáinne, grian ag tuirlingt ar na snaidhmeanna tobac. I measc na soithí scimeála ar an mbord bhí uisce beatha. As sin amach eagna na dí i gcomórtas le heagna na bhfear. 'Cad a tharla do Ghadaí Rua?' arsa mise. Bhí na súile ar aon imir le hómra na ngloiní. 'Cé hé an Gadaí Rua, airiú?' ar siad. D'insíos dóibh. 'Á, gan aon agó, tá do mheabhair líonta le hiontaisí na Gaeilge,' arsa duine acu. 'Sea,' arsa fear eile, 'chreach sé a raibh de scéalta ag an seanduine agus ní mór a d'fhág sé do na muca.'

Labhair Muirsín Sioc Ó Cróinín agus faobhar ar a chaint. 'An Béarla bradach seo, orlach eile ní ghéillfimid, gach éinne againn is a anam suite ar a ghualainn aige.'

D'ól gach éinne a shláinte cé nár thuigeadar ar fad an rud a dúirt sé. Ach bhuail Séamaisín na hInise a cheann faoi is dúirt: 'An Béarla a throid, an ea? Tá chomh maith againn dé Domhnaigh a throid, tá chomh maith againn na scátha ar na clocha teampaill a throid. Ní bhfuaireamarna, Gaeil, riamh ach an briseadh.'

Cúngaíodh an seomra, fairsingíodh ball iasachta den domhan. Bhí an buidéal dulta i ndísc. 'Cad a tharla don Ghadaí Rua?' 'D'itheadar é,' arsa duine acu. 'Stracadar na súile as,' arsa duine eile. 'Ach gadaí maith ba ea é,' arsa mise. 'Gach gadaí níos measa ná a chéile. Croch ard lá gaoithe chucu!' 'Ach dúirt Daideo ...' 'Tá Seán Mhuiris Thaidhg i measc na bhfear. Thug sé leis do ghadaí-se. Fág na mairbh ina suan. Seo leat, a theallaire, bí ag súgradh led choileán, is fág againn ár rámhaille.' 'Abair é,' ar siad. Rug Diarmaid, deartháir m'athar, ar lámh orm is sheol siar go dtí an scioból mé.

Ba dheas an fhuaim é spóladh tur na scine féir. Sheas sé is ghlan sé an t-allas dá éadan. 'Tuairisc ar do ghadaí níl agam. Chuiris uaisleacht na bhfear as a riocht, is chuiris mairg orthu. Tá réiteach do cheiste thíos cois an teampaill sínte agus is ann a bheidh sé go Lá Philib a' Chleite. Sea go díreach, is cá miste dúinn a thúisce. In áit éigin anois ar an sliabh úd thall tá cloch agus ár sloinnte greanta air. Seo leat, a Ghabriel, séid leat do thrumpa anois nó fill chugat go deo é.'

Bhí m'athair ag tabhairt féir do na ba. Sheas sé taobh le riabhach mhaol darbh ainm Bainbhín, á slíocadh. Ansin d'fhéach sé orm, 'trí ní nach mór a fhaire: crúb capaill, adharc bó, gáire an tSasanaigh.'

Seo isteach i gcró na mbó mo mháthair agus coinnleoir tórraimh á shnasadh aici. 'Tá an saol athraithe ó anocht. Amárach caithfidh an garsún seo an Béarla a labhairt.' Thug m'athair a dhrom léi. 'Níl puinn den teanga sin againn,' ar seisean. Thóg mo mháthair coiscéim níos gaire. 'Tá an t-aer ramhar le Béarla.'

Ghlan m'athair síolta féir de mhuin an tairbh. 'An airíonn sibh mé?' ar sise, nuair a bhraith sí ár neamhshuim. 'Ní raibh Béarla riamh sa tigh seo, ní raibh ná a scáth, buíochas le Dia geal na Glóire.' Níor thug sí aon toradh air ach labhair sí liomsa. 'A thaisce gheal mo chroí seo mo chéad fholáireamh duit sa teanga ghallda: from on the morning out d'Inglis tongue only vill you spik – spik alvays d'Inglis. Ar airís m'fholáireamh?'

Chroitheas mo cheann uirthi. Níor thuigeas cad a dúirt sí ach bhraitheas gurbh í an teanga a sciomair sí den urlár. 'Tá's agam nach bhfuil sé curtha rómhaith agam mar tá mo chuid focal gallda chomh gann le silíní Nollag,' ar sise. D'fhéach sí orm ag iarraidh mé a léamh. 'Is bocht an scéal é, a lao, ach cad is féidir a dhéanamh?' rith na deora léi, is dheineas miongháire is chroitheas mo cheann uirthi. D'fhéach sí ar an bhfear le hais an tairbh, 'ar airís cad dúrt, a Dhaid?'

Chuir sé gigleas faoi chluasa an tairbh, is labhair leis an bhfalla. 'Tráth dá raibh bhí muintir sa ghleann seo is thriomódh a gcuid gáire éadaí duit.'

'Ní beag sin de, tráth dá raibh, tá aghaidh an gharsúin seo ar fharraige mhór an Bhéarla – an ligfeá amach é i mbáidín briste?'

'Tráth dá raibh ba ríthe sinn.' B'in a dúirt sé.

'Ní beag sin de ríthe! Táimid bocht is níl againn ach féar sé bhó. Saol na ngailseach faoi chlocha againn.'

Shlíoc m'athair muin an tairbh. Bhí maidhm an chochaill á thachtadh ach ní leomhfadh sé aghaidh bhéil a thabhairt ar Mham im láthairse. Shníomh sé a chuid focal, 'Mustar na gCaisleán orainn tráth dá raibh, ach dhein gráinní gainimhe gan chomhaireamh de.' Chaolaigh ar ghuth mo mháthar, 'nimheoidh do bhaothchaint a mheabhair orainn is cuirfir i mbaol é. Ní beag sin de shean-seo is shean-siúd, sheanaiteann, sheanríthe, sheanrannta. Táim torrach de sheandacht is de laochra. Is deise liom unsa den lá inniu ná tonna den bhliain seo caite.' Dhruid sí im leith is rug ar lámh orm. 'Tógfaidh mo mhasca a cheann chomh hard le duine fós.'

D'iompaigh sé uirthi don chéad uair, ní lena ghuth ach lena shúile. 'Is airde a cheann ná cách, airde na gCarrthach de mhóráil air.'

'Chomh hard sin? Is sna scamaill a bheidh a cheann agat mar sin. Faireadh sé na beanna fuara, más ea!' agus d'oscail sí doras chró na mbó. D'fhan sí nóiméad gan chorraí, an coinnleoir airgid ina lámh go bagrach. 'Ón gcéad amhscarthanach de sholas mhaidin an lae amárach an teanga ghallda amháin. Siolla amháin as reilig na nGael ná cloiseam.' Shiúil sí amach ach chas ar ais láithreach. 'Ar inis tú dod mhac canathaobh gur tugadh Carrthaigh Samhna oraibh?' Thug sí aghaidh orm is labhair go fuar, 'briseadh orthu Samhain 1599 ag na Niallaigh.'

Sháraigh an brú ar an bhfoighne ag m'athair is seo chuici de sheáp é. Ach faiteadh súile níor ghéill sí dó. D'fhéach sé orm chun nach dtachtfadh sé í. 'Sea,' ar seisean, 'ár gcaisleáin leagtha is iad trí thine ach níor briseadh orainn. Féach isteach im shúile, a thaisce dhílis, an bhfeiceann tú ann an briseadh?' D'fhéachas ar an bhfear seo a bhí dhá scór bliain d'aois, ar an gcabhail a bhí rómhór dá chuid éadaigh, ar an éadach a bhí róbheag do na paistí. Ar na súile. Is ní fhaca aon bhriseadh, ach tairne i mbeo.

'Hu!' arsa Mam, 'caisleán na gCarrthach ag titim, cairn aoiligh na gCarrthach ag éirí.'

D'fhéach sé ar feadh tamaill ar an talamh, ansin dhírigh sé é féin, is dúirt: 'Thugas i leith anseo thú ó Fhearann Giolcach Thoir, áit ná fásann crann ann. Is mairg an talamh ná fásfaidh crann mar ná géillfidh sé suas an uaisleacht ach chomh beag,' agus ghlan sé leis amach ar an tsráid. Dhruid mo mháthair liom is rug barróg orm, is dúirt, 'chuas thar fóir, cad is féidir liom a dhéanamh. Is geal leosan tú ach is mise a chaithfidh féachaint id dhiaidh. Tá an saol ar tuathal,' agus d'fháisc sí léi mé níos mó; agus mheasas nach mise a bhí á fháscadh aici ach rud a taibhríodh di, nó eachtra, malairt bheatha, b'fhéidir, nach bhfáiscfeadh sí léi go deo sa saol seo. D'éalaigh sí léi is d'iaigh an doras go bog ina diaidh.

D'fhill m'athair, gur sheas i measc na mbó. Bhí impí san fhéachaint a thug sé orm. Chas sé uaim is d'fhéach ina thimpeall. Nuair a labhair sé bhearr a smacht colg na bhfocal. Thiteadar ar an talamh. 'Tóg uaim mo chuid focal is cuirfidh mé mallacht ar mhuintir an domhain.' Suas is anuas an cró leis. 'An mhuintir thar béal an ghleanna seo amach a thug a ndrom lena bhfuil féin, chomh fada thuaidh le Droichidín an fhústair is as sin soir go Magh Ealla, níl iontu ach priompalláin. Ar airís riamh teacht thar an seanrá 'dá airdeacht a éiríonn an priompallán is sa chac a thiteann sé ar deireadh.' Lig sé osna.

'Sea, a Dhaid, ach dúirt Mam...'

'Mam!' ar seisean, agus straidhn ar na focail. 'Ar airís riamh an seanrann:

Trí ní ag faire mo bháis,
Mairim gach lá im ghiall,
Croch iad go hard, a Chríost,
Béarla, bean is diabhal.

'A Dhaid, led thoil ...' ach stop sé mé lena lámh in airde.

'Ná téadh brí na bhfocal amú ort. Is geal linn na mná agus is geal leo sinn ach is eagal liom go bhfuil lá den tseachtain de dhíth orthu.'

Chuir a ndúirt sé buairt orm agus dheineas tathant air bheith sámh. 'Lig dom silíní a thabhairt chugat ón úllghort.' *Please let me bring you bright cherries from the orchard.*

Shuigh sé ar stóilín. 'An bhfuil a fhios agat gur ó na nithe beaga rabhnáilte mar shilíní a thagann iontaisí an tsaoil seo. Ar insíos riamh duit na cúig ní rabhnáilte is deise amuigh? Boladh na n-úll, blas póige, teas scillinge id dhorn, cara a fheiscint ar bharr cnoic, súgradh na gcoileán a chlos.' *taste of a kiss, the feeling of a warm shilling in your fist, to see a friend, puppies*

Thit tost ar an gcró. Bainne mífhoighneach ag sileadh de na húthanna ar an tuí. Búirtheach toll ón tarbh a chuir an doras ag canrán. In áit éigin bhí an ghrian ag dul faoi agus na simnéithe ag sá a scáthanna trí raithneach na gcarn aoiligh. Bhí an domhan ag stolpadh. Ach sara stopfadh sé go deo bhí eolas uaim. Chuireas mo cheist. Dhein sé a cheann a thochas agus dúirt nár chuala sé faoina leithéid riamh. 'Nach ait an feidhre sinn, duine ag déanamh cumha an ghadaí rua is duine an gadaí dubh.'

'Cé hé an gadaí dubh?' arsa mise. D'éirigh sé is d'imigh sé go béal an dorais is chuir a ghuala le hursain.

'Nach bhfuil a fhios agat gurb é an seanchaí an Gadaí Dubh? Mar tagann sé i measc na ndaoine i rith an gheimhridh is goideann sé uathu an duairceas lena chuid scéalta. Ar ball brostófar an gadaí dubh deiridh an portach trasna go dtí an teampall. Agus anois tá an oíche fhada ag tuirlingt ar an nGaeltacht, is go deo arís ní fhillfidh an Gadaí Dubh chun í a ardú leis.' Chas sé uaim is ghluais sé síos tríd an iothlainn, trí bhéal an gheata amach, suas ar an móinteán, fiáin go leor do anam ar bith.

Chuas go dtí an úllghort. Grian eile ag dul faoi laistiar de Shliabh Cam – sea, an méid sin bainte den tsíoraíocht. Sheasas faoin gcrann silíní agus d'fhéachas suas ar na géaga ab airde. Tharlódh go raibh an Gadaí Rua thuas ann in áit éigin. Agus d'fhéachas timpeall ar chros-chrochadh na dtorthaí is an duilliúir, is ní dúrt ach, 'póg duitse, a Ghadaí Dhuibh!' Agus bhaineas silín den chrann agus raideas uaim suas san aer é thar an *lilac* amach agus lean mo shúil é agus é ag casadh is ag imchasadh go gríosúil ar an domhan mall cruinn gur thuirling in áit ná feadar.

Nova Scotia

Bhíos ina leithéid seo d'áit in Cape d'Or nuair a theip an
gluaisteán orm. D'éiríos amach ar an mbóthar. Tigh ní raibh le
feiscint ach an ceo a bhí ag fágaint Bá Fundy ina cóch maoile
amhail is go raibh rud éigin ina dhiaidh. D'fhéach mé air ag
líonadh na log, is ag sní leis i measc na ndumhach.

D'fhág mé an gluaisteán is seo liom trasna an mhóinteáin i dtreo
na farraige. Chuaigh an ceo i dtiús is leáigh an domhan uaim go
dtí go rabhas ar strae i gceart aige. Tamall eile is ní bheinn in ann
bas mo chaipín a fheiscint. Thiteas isteach i bpoll. Tháinig eagla
orm. Ní fhéadfainn an gluaisteán a fheiscint. Stopas is ligeas
cúpla liú asam ach dhein an ceo balbh iad. Seo liom ar aghaidh
go dtí go rabhas os cionn na farraige. Chuala taoidí Fundy
ag rásaíocht amuigh agus an siúl a bhí fúthu, cuid acu cúig
mhíle dhéag san uair. Agus airde na dtaoidí, uaireanta titeann
is ardaíonn siad seasca troigh laistigh de sé huaire an chloig.
Fiántas, iargúltacht is rásaíocht mharfach!

Agus clog! Clog? Sea, clog, bhíos béagnach cinnte de, clog mór,
mall, groí – in áit éigin – ag bualadh. Thabharfainn an leabhar
gur ón bhfarraige a tháinig sé, gach buille de ag triall thar toinn
ón imigéin. Tá mo chathair féin, Montreal, lán de sháipéil agus
is minic aer na cathrach ramhar ag na cloig chéanna. Ach an
clog seo, bhí uaigneas neamhshaolta ag baint leis. Agus b'in rud
ná raibh uaim ag an nóimeat sin. Shiúlaíos liom ag titim is ag
éirí mar sin ar feadh i bhfad, go dtí gur chuala glam madra. Bhí
an guth chomh toll sin aige gur thuigeas gur istigh i dtigh feirme
a bhí sé.

Sa deireadh chonac tríd an gceo solaisín caoch buí, agus tar éis cúpla truslóg eile dhein fuinneog de. Osclaíodh doras is seo amach cú mhór chluasach is gach sceamh as is chuir le falla mé. Scairteas amach ar an mbean a bhí i mbéal an dorais.

'Luigh síos!' ar sise de ghuth neafaiseach is stad an cú láithreach is bhuail faoi. Tugadh isteach mé agus tháinig ionadh orthu nuair a chonaiceadar an cruth a bhí orm. Cuireadh sa pharlús mé, seanpharlús i seantigh feirme ina raibh troscán chomh hard leis na fallaí. B'fhearr liom é dá gcuirfí sa chistin mé ach ní éisteofaí liom. La Tour an sloinne a bhí orthu. Gervaise a bhí ar an mbean, a bhí ag tarraingt ar na trí scór, ní foláir, mar bhí cúpla a hiníne féin, Jacques is Elise, in éineacht léi. Trí bliana déag a bhí an cúpla.

Bhí áthas orthu go rabhas im Mhontrealach agus go rabhas im stróinséir, mar feirm iargúlta a bhí acu agus is beag duine a ghabhadh an tslí. Seanchas a bhí uathu, ba léir, agus an cúpla caite ar an tolg ag feitheamh lem scéal. Ansin luaigh mé an clog leo. Cheap an cúpla go raibh breall orm agus gur adharca ceo a bhí cloiste agam. Ní hea, clog, bhíos deimhin de.

'N'fheadair éinne ná gurb é clog Fundy a chuala tú,' arsa Gervaise, a bhí druidte isteach os cionn na tine, mar bhí Deireadh Fómhair nach mór ann. B'éigean di é sin a mhíniú dúinn go léir, go mór mór an cúpla. 'Fadó, fadó, Francaigh is mó a bhíodh ina gcónaí anseo i Nova Scotia, go dtí gur tháinig cabhlach is arm Shasana is ruaigeadar as na bailte iad ina mbaile is ina mbaile. Cuireadh ar bord loinge iad is seoladh thar farraige iad in áit ná feadair éinne. Chuaigh a bhformhór go tóin poill. I gcás baile amháin chuireadar muintir an bhaile ar fad idir fhir, mhná is pháistí ar bord loinge agus clog an tsáipéil in éineacht leo. Chuaigh an long sin go tóin poill leis. Deirtear go gcloistear an clog úd ó am go chéile ag bualadh leis, go mór mór aimsir cheo, agus go leanfaidh sé leis ag bualadh go ndeineann na Sasanaigh aithreachas ar a ngnó danartha.'

'Huth! Na Sasanaigh, beidh seans leat,' arsa Elise.

'Beidh. An bhfuil a fhios agaibh gur chuala mise an clog úd is mé chomh hóg libhse, agus ar mo leabhar nár mhaith liom é a chloisint go deo arís.' Lean ciúnas é seo agus thit mar a bheadh brón ar an seomra. Mhéadaigh ar an mbrón is theip orm cuimhneamh ar aon rud le rá – go dtí gur labhair Jacques.

'An Francaigh sinne?' Thóg Gervaise tamall chun é a fhreagairt, ach nuair a tháinig sé bhí sé ar an bhfreagra ab fhearr a chuala riamh.

'Is Ceanadaigh sinn ach go mbíonn gaotha na Fraince ag séideadh trínár meon,' ar sise go deas néata. *60 yes old*

gceannas na háite Bean í te

'Vive le Français!' arsa mise. Theith an brón is thug Gervaise gloine fíona chugham ón gcistin is thosnaigh na ceisteanna. Cad a rug go dtí an taobh seo tíre mé? Mhíníos dóibh faoi mo phost mar bhailitheoir ceoil do Roinn an Bhéaloidis in Ollscoil Montreal agus go raibh Ceanada siúlta agam ina fóda caola. D'inis mé dóibh faoi na hIndiaigh i Manitoba, na hInnuit in Oileán Baffin, agus mar sin de.

Elise agus Jacques – tr cúple iad. Grandchildren.

'Cén saghas ceoil?' arsa Elise.

'Ó, gach saghas, ach seanfhoinn is mó, cosúil leis an gceann a fuaireas i dTalamh an Éisc cúpla seachtain ó shin.'

'Cad ab ainm dó?' Bhain sé tamall díom sara raibh sé de dhánaíocht ionam é a insint di, mar duine óg a bhí inti.

title of a song

'An t-ainm, an ea? Mary hold the candle while I shave the gander's leg!' arsa mise, gan fiacail a chur ann. B'éigean dom é a rá cúpla uair dóibh sara raibh sé acu, agus sin é an uair a thosnaigh an gáirí.

'Tá tú ag magadh fúinn, tá sé cábógach amach is amach. Cén saghas ceoil é?'

Sall liom go dtí an pianó is bhaineas an clúdach de. Pianó ársa a bhí ann agus an chuma air nár seinneadh le fada é.

'Port é seo,' arsa mise leo is bhuaileas amach na nótaí tosaigh

an egg which doesn't hatch.

go dtí gur bhuaileas nóta glugair. Bhuaileas cúpla uair eile é ach bhí fuar agam. Thriaileas ar ghléas eile é ach ní raibh i gceart. Chuirfeadh an nóta glugair seo aon cheoltóir le gealaigh mar bhí an pianó sin curtha ar ceal aige. B'éigean dom éirí as is dul ar ais go dtí mo chathaoir. D'fhéachas go leathscéalach ar an gcúpla. Ba léir go raibh seanaithne acu ar an bpianó céanna.

'Ní pianó é sin in aon chor ach creatlach de rud atá ann leis na cianta,' arsa Jacques. D'aontaigh a dheirfiúr leis; 'sea, píosa de throscán chun leabhartha a thógaint,' a dúirt sí. Lean Gervaise léi ag féachaint isteach sa sorn adhmaid taobh léi.

Tar éis tamaill labhair sí.

'An bhfeiceann sibh an pianó sin?' ar sise. D'fhéachamar go léir arís air amhail is ná raibh sé feicthe cheana againn. Mionmhórphianó a bhí ann, laicear dubh air agus téadáin óir tríd thall is abhus nach raibh ina ór a thuilleadh le haois. Seanchóip de *Moore's Melodies* i bhFraincis fós ar an seastán is na leathanaigh buí ar fad. Bhí na cosa faoi díreach go leor ach cuma bhatráilte ceart orthu. Agus an nóta glugair úd, C meánach, ú!

'Díol leis na giofóga é!' arsa Jacques.

'Tá scéal le hinsint ag an rud sin,' arsa Gervaise, 'insítear do gach glúin ina gceann is ina gceann sa tigh seo é, agus b'fhéidir go bhfuil sé in am é a insint daoibhse anocht – go mór mór agus muintir La Tour éirithe chomh tanaí sin ar an bhfód. Agus, ar ndóigh, strainséir sa tigh againn.' Bhraitheas go rabhas i mo dhuine den chlann cheana féin agus mórtas orm dá réir.

'An rud éigin cosúil le gnéas é seo, Ger, is é sin le rá go measann tú go bhfuilimid aosta go leor dó?' arsa Elise agus diabhlaíocht ina súil. Thóg sé tamall sula bhfuair sí freagra.

'An ceart agat, rud cosúil le gnéas é seo, caitheann sibh bheith fásta chuige.' Mhéadaigh ar an spéis láithreach. Rug Gervaise ar bhioráin chniotála a bhí in aice léi is thosnaigh ag cniot-cneat léi faoi mar a dhéanfadh scéalaí mná cois tine in aon tír. Gan aon mhoill bhí sí féin agus sinne istigh sa scéal agus dearmad ar fad déanta againn ar an aois ina rabhamar. Siar siar a chuaigh sí, chomh fada le 1847 nó mar sin, muintir La Tour ach Fraincis ar fad a bhí acu an t-am úd. Feirmeoirí láidre prátaí ba ea iad, ag cur na bprátaí síos chomh fada le Bar Harbour i Maine. Bhí airgead acu. Líon tí an-mhór a bhí sa tigh ag an am, faoi mar ba nós leo, ach Leon, an seanathair ar leis an áit, agus Cerise, iníon a mhic, an bheirt atá sa scéal seo. *The story is a sort of family history.*

Bhí Leon chomh tugtha sin don cheol gur chuir sé fios ar phianó go dtí an Fhrainc mar bhí ceoltóir iontach acu, Cerise, a bhí, dar le muintir na háite, ina *genius* amach is amach. Dúirt an máistir ceoil a bhí aici go raibh an rud sin ar a dtugtar 'airde fhoirfe' aici. Agus an veidhlín, is an adharc Fhrancach, an bainseó is an consairtín, go léir ar a toil aici. Ach ní shásódh aon ní Leon ach an pianó. Nuair a tháinig an long ón Fhrainc leis an bpianó chuaigh sé féin suas go dtí an ché chun deimhin a dhéanamh de nach mbrisfí é. Tugadh abhaile é agus caitheadh fleá agus féasta do mhuintir an cheantair in onóir don ócáid. Agus Cerise? Na tonnta ceoil nár chuala an ceantar riamh á gcur amach ar aer an tráthnóna aici, gach tráthnóna.

Thógadh an chlann an dinnéar gach tráthnóna le chéile agus Leon gléasta don ócáid. Agus Cerise, ní gá a rá, éadaí speisialta a cheannaigh Leon di. Agus ní gá a rá ach chomh beag gur cailín dathúil amach is amach a bhí inti. Agus tamall ina dhiaidh sin thosaigh Cerise ag seinm don slua, uaireanta do chuairteoirí, uaireanta eile gan ann ach an teaghlach amháin. I rith an tsamhraidh thugaidís an pianó amach is shuídís tamall amach ón vearanda é. Dar le sclábhaithe na feirme chabhraigh an ceol leis na prátaí sa chaoi go raibh rathúnas orthu ná facthas riamh

Bhí sí geallta le fear [handwritten]

– idir thiús is raidhse.

Agus an dinnéar *al fresco* chomh maith, is na páistí ag súgradh, agus is ann a d'fhanaidís go dtí go dtéadh na cuileanna tine in éag in éineacht leis an gceol. Cuimhnigh gurbh iontas de na hiontais é pianó – nó aon saghas ceoil – an uair úd mar ná raibh gramafón, ná raidió, ná TV ná aon rud mar sin ann. Rud nádúrtha go leor a bhí ann dá bhrí sin nuair a thosnaigh nós i rith an tsamhraidh acu, damhsa beag do na comharsana a bheith ann uair sa tseachtain – agus an-éileamh go deo air ag cailíní na háite, mise á rá.

Díreach agus Cerise a hocht déag cad a tharlódh ach gur thit sí i ngrá – glan as a meabhair. Feirmeoir ón gcomharsanacht ba ea é, cúpla bliain ní ba shine ná í ach é an-ghalánta ina lán slite. Thagadh sé ar láir bhuí amach sa tráthnóna, snas ar an bprás, boladh na galúnaí ón leathar, teaspach ar an láir. D'umhlaíodh sé do na mná, ag ardú an hata dóibh go léir ina gceann is ina gceann. Agus nuair a thugtaí gloine fíona dó d'ardaíodh sé do Leon i gcónaí é agus ansin, tar éis tamaill, do Cerise. Dar le gach éinne tháinig feabhas ar an gceol ó tháinig an chomharsa dhathúil seo isteach sa scéal, is samhlaíodh dóibh go raibh grásta Dé ag éirí den mbeirt acu nuair a bhídís le chéile.

Tá's agaibh go bpósaidís an-óg sna laetha sin, na mná ag a hocht déag agus na fir timpeall fiche nó fiche is a haon. Agus bhí gach éinne deimhin de go bpósfaí an bheirt seo a bhí chomh mór sin in oiriúint dá chéile. Dá bhrí sin, nuair a stad fear Cerise go

[handwritten annotations: "would appear", "he'd raise his hat", "Cerise's Grandfather.", "very nice man it", "Match made in heaven,", "Gervaise is telling the story."]

Cerise was left in the lurch by this guy who was never seen again - Cerise doesn't play the music anymore.

tobann de bheith ag teacht, bhí iontas ar gach éinne. Fuarthas amach go raibh an rud thart – mar sin – ní raibh aon mhíniú ar an scéal. Stad an ceol láithreach is ní fhágfadh Cerise a seomra. Chuaigh gach éinne chuici ag tathant uirthi teacht anuas go dtí an gairdín, greim a ithe, dul ag siúl…. Bhí fuar acu.

Lean sí mar sin go ceann míosa is le linn an ama sin theip ar Leon éinne a fháil a d'fhéadfadh an pianó a sheinm, is é sin, leis an stíl a bhí uaidh. Thosnaigh sé ag tabhairt cuairteanna ar Cerise in éineacht leis an gcuid eile den gclann. Díol trua ba ea í mar gur bhraith sí go raibh a saol briste ar fad is gan aon leigheas air. Ach ar deireadh d'éirigh leis an mbladar is na bréithre mílse í a mhealladh amach go dtí an gairdín.

Mí ghlan tar éis na tubaiste baineadh múscailt as an aer sa ghairdín – an chéad nóta de *Plaisir d'Amour*. Thóg an lucht éisteachta anáil – bhí ceol arís acu. Tugadh faoi deara gur amhráin bhrónacha ar fad a bhí á seinm aici sa chaoi go raibh na deora le han-chuid daoine sara raibh an oíche istigh. Ach de réir a chéile bhí an tseana-Cerise ag teacht chuici féin agus laistigh de chúpla mí bhí sí in ardghiúmar arís.

Ag deireadh na bliana sin – Thanksgiving – bhí *soirée* acu sa tigh, mar gur chuir an sioc deireadh leis an ngairdín. B'in an oíche a casadh an poitigéir ó Apple River uirthi. Agus an chuid ab fhearr den scéal, amhránaí iontach a raibh guth traenáilte aige ba ea é chomh maith. *tugtha i ngrá le fear eile –*

he dumps her as well

'Ní maith liom é seo,' arsa Elise, 'ní maith liom in aon chor é.'

'Éist, is fan leis an scéal,' arsa an deartháir.

Ar éigean a chuala Gervaise iad mar bhí sí caillte sa *soirée* le Cerise agus a fear nua. Bhí seisean glan i ngrá le Cerise agus é de phort aige de ló is d'oíche ar fud na dúthaí, ag maíomh aisti a bhí sé. Agus ní miste a rá go raibh Cerise mar an gcéanna – fiú amháin nuair a chuala sí oíche amháin gur phós an feirmeoir dathúil níor bhain sé aon mhairg aisti.

Oíche amháin fógraíodh go raibh an bheirt le pósadh. Bhí cóisir acu agus thaispeáin Cerise an fáinne dá cairde go léir, sásamh neamhshaolta ag briseadh trína súile. Máirt na hInide dár gcionn a bhí ceaptha acu i gcomhair an lae. Ach i rith na Nollag tharla rud éigin, mar stad mo dhuine de bheith ag teacht. Tháinig scéala go tigh La Tour á rá go raibh an pósadh curtha ar ceal de bharr cúrsaí 'a bhí deacair a mhíniú ag an bpointe sin,' agus mar sin de. Bhain seo stangadh as an líon tí ar fad. Ní chreidfeadh Cerise é agus is é rud a dhein sí ná dul ar muin capaill láithreach gur bhain sí tigh mo dhuine amach in Apple River. Labhair sí le tuismitheoirí an phoitigéara ach tásc ní bhfuair sí ar mo dhuine. Bhí an rud thart. Gan aon mhíniú. Agus cad ab fhiú míniú dá mba ann féin dó.

B'éigean dá muintir dul ina diaidh an oíche sin mar níor tháinig sí abhaile. Fuarthas ar maidin í ar an trá seo thíos, is an capall taobh léi.

'Íosa Críost, bhí sí marbh?' arsa Elise agus í ina seasamh.

'Ní raibh. Dhiúltaigh sí dul abhaile leo,' arsa Gervaise. Bhí

It happens for a third time — there's obviously something gone wrong, Cerise let down three times — she left and was never seen again.

dearthaíreacha is deirféaracha aici ach le chéile theip glan orthu í a mhealladh abhaile. Thug sí seachtain ag imeacht léi ar fud na háite ar a capall, gan ithe gan chodladh. Ní labharfadh sí le héinne. Faoi dheireadh nuair a shroich sí an baile chuaigh sí go dtína seomra féin is focal ní labharfadh sí leis an teaghlach. D'éirigh sí féin is an bhean tí a bhí acu, Han Galvin ó Thalamh an Éisc, an-mhór le chéile. Trí mhí a thug sí mar sin. Is amhlaidh a chaill sí spéis ina muintir féin is chaitheadh sí mórán ama ag cogarnaíl le Han sa chistin mhór a bhíodh againn thíos ar an taobh sin den tigh. Lá éigin tamall maith ina dhiaidh sin, tagann stráinséir go dtí an doras - lth 92

Chun scéal fada a dhéanamh gearr thóg sé trí mhí uirthi teacht chuici féin. Ach nuair a thosnaigh an ceol arís, ba léir nach raibh sí ar fad istigh léi féin. Bhí rud beag den tseana-Cerise ar iarraidh. Ní raibh sé le tabhairt faoi deara ar a cuid ceoil mar bhí sé sin chomh maith leis an lá ab fhearr a bhí sí riamh. Sa tsúil a bhí sé, aonaracht dhiamhair, faoi mar a gheofá i nduine a bhfuil ceacht seo an tsaoil leathfhoghlamtha aici.

'Bain an ceann den scéal, Ger – ar thit sí i ngrá arís?'

'Is deacair a rá ach is cinnte gur thit fear i ngrá léise – tréidlia a bhí cúpla bliain ní ba shine ná í, as Parrsburg dó. Chaill sé an mheabhair ina diaidh. Bhí sise sámh, an-sámh, an turas seo, is ní raibh an fiántas céanna le brath uirthi. Bhí sí … cad a déarfaidh mé … sámh, is ea bhí sí sámh. Bhí sí an-ghairid do fiche is a haon nuair a shocraíodar go bpósfaidís. Aithním ar bhur súile go dtuigeann sibh stiúir an scéil seo … is ea, tharla sé arís. Mí díreach roimh an lá ceaptha. Baineadh geit as an líon tí ar fad. Mar eagla a bhí orthu anois gur saghas mí-ádha a bhí ar Cerise agus go mb'fhéidir go dtitfeadh sé orthu féin. Bhí an-chuid deirféaracha aici. Ach níor chuaigh Cerise go dtína seomra an turas seo ach d'fhan léi ar fud an tí is an ghairdín – mar samhradh a bhí ann – go minic i dteannta Han Galvin.

'Ar an gceathrú maidin tar éis an drochscéala bhí Cerise imithe. Agus ba léir nach aon mhearbhall a bhí uirthi mar d'fhág sí gach rud go néata ina diaidh. Níor fhág sí nóta ach mheas gach éinne go mbeadh sí chucu arís i gceann cúpla lá. A cuid éadaigh a bhí imithe, iadsan amháin. Nó sin a mheasadar go dtí an tráthnóna nuair a thriail duine acu an pianó. Bhí sé briste, nóta imithe as. Bhaineadar an chomhla de agus ansiúd a bhí sé – marcanna an chasúir a srac an nóta as na sreanganna, C meánach. Níor thuig éinne na cúrsaí seo. Tháinig daoine chun é a dheisiú ach theip orthu. Bheadh orthu fios a chur ar an bhFrainc is de dheasca an drochshaoil ní raibh airgead rófhlúirseach acu. Bhí glugar de phianó acu.'

'An é sin deireadh an scéil?' arsa Elise.

'Ní hé, mhuis, tá an chuid is fearr le teacht. D'fhan siad cúpla seachtain eile go dtí gur tháinig imní ar mhuintir La Tour. Tuairisc uirthi ní bhfuair siad. Chuir siad scéala go dtí na gaolta is na cairde go léir. Chuadar go dtí na póilíní. Ach tásc ní raibh uirthi. D'imigh na míonna, d'imigh an bhliain. Shocraíodar go raibh a haigne curtha ar seachrán ag an díomá go léir agus go mb'fhéidir .... tá's agaibh, níl Bá Fundy ach tamall síos an bóthar. Is mó bean a dhein cheana é. Agus níl aon tarrtháil as Fundy. Scuabfaí chun siúil í béal an chuain amach is isteach i bhfeachtaí diamhra an Atlantaigh.

'Raiméis!' arsa Jacques, 'bhí sí tar éis imeacht lena cuid giuirléidí; níor chuir sí lámh ina bás féin.'

'Mhuise, an ceart agat, a Jacques, níor chuir ná baol air. Tamall maith de bhliantaibh ina dhiaidh sin, tuairim is sé fichid nó mar sin, agus Leon agus tuismitheoirí Cerise ar shlí na fírinne – san am úd ní rabhadar fadsaolach, na créatúir – bhí muintir an tí seo go léir istigh anseo cois na tine oíche amháin. Go tobann buaileadh cúpla buille ar an doras a bhain macalla as cúinní an tí – bhí sé déanach. Strainséir mór groí a bhí ann is cába mór geimhridh air. Sheas sé i lár an tseomra is dúirt sé go raibh gnó aige le tigh La Tour. Thóg sé amach as a phóca rud, píosa d'iarann nó sreang, déanta de chré-umha, is chaith sé ar an mbord chucu é. 'Tugadh foláireamh dom é seo a thabhairt go dtí an tigh seo.' D'fhéachadar air ach tuairim ní raibh acu. 'Cuireadh cois tine é is bhailigh muintir an tí ina thimpeall. Bhí sé timpeall fiche is a cúig bliain d'aois agus é an-tarracúil le féachaint air. Mná is mó a bhí timpeall na tine is ní raibh aon ghearán acu go dtí gur chuala siad cé a bhí acu – mac Cerise, Jacques. Ba bheag nár thiteadar i laige mar bhí scéal Cerise acu go léir, idir óg is aosta. Agus iad go léir gaolta léi – is anois leis an mac, cé go mbeadh cuid acu tamall maith amach. Agus bhí scéal

Cerise ar fad aige is diaidh ar ndiaidh thit sé amach i bhfoclaibh a bhí séimh an oíche sin.

'Bhí a fhios ag Cerise go raibh rud an-aisteach ag titim amach i dtigh La Tour, agus bhí a fhios aici ar chuma éigin go raibh a fhios ag Han mar gheall air. Thóg sé na ceithre lá úd chun an fhírinne a bhaint aisti. Leon! Bhí sé chomh tugtha sin don cheol ná féadfadh sé Cerise a ligint as a radharc mar, gan í, bheadh sé gan cheol... sea ceol, an rud ba thábhachtaí ina shaol. Chomh luath is a thugadh Leon faoi deara go raibh baol cleamhnais ann, chuireadh sé Han le litir go dtí athair is máthair an fhir. Bhí a fhios ag Han go raibh tubaist éigin sa litir. D'oscail sí an tríú ceann is ní fhéadfadh sí fianaise a súl a chreidiúint. Séard a bhí ráite ag Leon ná go raibh Cerise bhocht tar éis babhta eitinne a chur di, agus nárbh fhada uaithi an tarna babhta. An dtuigeann sibh, ní fhéadfadh éinne an tarna babhta a sheasamh. Bhí an eitinn ag marú na sluaite ar fud an domhain is ba leor nod don eolach — dá rachadh an scéal amach i gceart ní thiocfadh éinne ag éisteacht leis an gceol sa ghairdín, bhí sé chomh holc sin. Agus gan aon ainm leis an nóta ach "ó chomharsa na dea-mhéine".

Ní fhéadfadh Elise fanúint socair a thuilleadh is léim sí ina seasamh. 'Sin é an rud is gránna a chuala riamh. Níl, níl an saol seo sábháilte, a rá ná fuil le déanamh chun duine a mhilleadh ach nóta beag a chur go dtí na comharsana. Níl éinne againn slán.'

[handwritten annotations: "the most important thing in his life was music", "T.B.", "her grandfather was making up stories that Leon did't want to play any music", "lá an t-athair tar éis bhréaga a insint — mar sin d'fhág na fie — bhí sé dáinséareach — they didn't want to get T.B.", "She took the chord out of the piano — to destroy it — it was the reason she wasn't able to marry."]

Lean Gervaise leis an scéal. Toisc gur mhill an pianó a saol shocraigh Cerise ar an bpianó a mhilleadh le casúr is srac sí an tsreang a bhí ar an mbord as. Thug sí léi go St John i New Brunswick í is fuair post mar chailín aimsire. B'in tosach ifrinn di mar ná féadfadh sí filleadh go deo ar a háit dúchais – bhí na cranna curtha. Saolaíodh mac di, Jacques, agus La Tour an sloinne a thug sí air. D'fhás sé suas agus cad deirir ná gur dhein Cerise ceoltóir de, pianadóir. Is ait an rud an chinniúint – níos aite ná mar a cheapfá mar gurbh í an eitinn a mharaigh sa deireadh í. Sarar cailleadh í d'inis sí scéal an phianó do Jacques is d'fháisc sí geallúint as go rachadh sé ar ais agus maithiúnas a lorg is an tsreang a thabhairt dóibh.

'Voilà! Bhí sé os a gcomhair amach. D'fhan sé tamall sa tigh agus ansin a thuilleadh agus sa deireadh thit sé i ngrá leis an gcailín go raibh an áit seo tite léi mar oidhreacht. Col seisir dó féin ba ea í ach ceadaíodh an cleamhnas is phós siad. Jacques, mo shin-seanathair.'

Léim Jacques ina sheasamh. 'Jacques! An é sin an chúis go bhfuil....'

'Is é,' arsa Gervaise, 'cé nach bhfuil nóta ceoil id chloigeann.'

Tá aguisín beag leis an scéal agus is suimiúil an ceann é. Ní raibh aon duine de na mná sásta an pianó a dheisiú; dúirt siad gur cheart é a fhágaint mar a bhí aige, is é sin, díoltas Cerise ba ea é agus mheas siad go raibh an méid sin ag dul di. Thógadar an tsreang leo is chuadar ar an bhfeirí amach i mBá Fundy. Amuigh i lár an bhealaigh chaitheadar thar bord uathu an tsreang. Tá sí ann ó shin.

'Sreang is clog,' arsa Elise, 'ní fada go mbeidh ceolfhoireann thíos ansin.'

Ach ní pianó a bhí ann a thuilleadh. D'éirigh mé is shiúil mé chuige is chuimil mé lámh de. Ní pianó a bhí ann. Rud éigin, meicníocht, chun ainm Cerise a choinneáil beo i miotaseolaíocht an tí. Ar chuma éigin, in áit éigin, tuigeadh gur thábhachtaí é sin ná an ceol a bheith ag muintir an tí. D'fhéach mé arís air – ní raibh sé gránna a thuilleadh; bhí mar a bheadh croí ann, ceann a raibh giúmar ann – bhí ceo ann, bhí clog ann, díoltas ann, maithiúnas ann, grá, tráthnónta fada samhraidh, sean-Nova Scotia ann. Rugas ar *Moore's Melodies* is thosnaíos ar 'Oft in the Stilly Night'. Níorbh fhada gur tháinig mé go dtí an gliogar. Is bhuaileas é, arís is arís eile. Lean mé á bhualadh go dtí gur éirigh an cúpla agus ansin Gervaise is gur chruinníodar im thimpeall.

'Tá sé mar a bheadh sé ag caint linn,' arsa Jacques, agus alltacht air.

'Cerise atá ann, braithim inár measc í, ar mo leabhar.'

Bhí an ceart acu – bhí rud éigin ann. Is iontach go deo an chumhacht atá ag scéal maith mar tig leis an rud seo go dtugaimid 'réaltacht' air a chasadh as a riocht is ní bhíonn fágtha ach rud éigin ná tuigeann éinne, spioradáltacht. Focal é 'spioradáltacht' go mbímid go léir ag teitheadh uaidh. D'fhéachadar ar an meall dubh seo de throscán. Bhuaileadar na méireanta air is dheineadar é a chimilt; ní raibh siad míshásta a thuilleadh leis, mar ba gheall le duine é, ba gheall le clann é, ba gheall le … bhuel, ar chuma éigin, bhí daonnacht bronnta air.

An mhaidin dár gcionn nuair a shroicheas an gluaisteán ní raibh faic air mar b'eo leis as a sheasamh ar an gcéad chasadh den eochair. Thuigeas ag an bpointe sin díreach go raibh an teagmháil le muintir La Tour i ndán dom; agus thuigeas leis go bhfuil an rud seo ar a dtugaimid an chinniúint crua, an-chrua, ach go mbíonn míneadas thar na bearta ag baint leis chomh maith, agus in áit éigin go dtuigtear cad is brí le daonnacht – agus go bhfuil meas uirthi.

Scéal Piano atá ann.

Págánaigh

Trí lá tar éis na sochraide thit pláta *wedgewood* den drisiúr is bhris ar an urlár. D'fhéach sé síos ar na píosaí. Díreach ag an nóiméad sin is ea a thuig sé go raibh sí marbh is nach bhfeicfeadh sé go deo arís í. Conas san?

Ach bhí sí fós ann! Siúd thall a cathaoir ag bun an bhoird! Anseo a cuid gréithre *willow* ar aon ghorm lena súile! Féach na tiúilipí a thug sí isteach ón ngairdín! Agus fós ní raibh sí ann. Conas san?

Sall leis go dtí an fhuinneog. Bhí na cuirtíní á sú amach ag aer an tráthnóna. Sheas sé ansin go bodharaigeanta ag féachaint ar a raibh fágtha den saol. Ag bun na spéire thiar crann aonair. D'fhéachadar ar a chéile, an dá rud aonair seo. Bhí an crann ag scairteadh air, 'mairfimid araon bliain eile'. Agus ansin? Faic na nGrást! Conas san?

Theastaigh uaidh a hainm, Kate, a scairteadh amach is macalla a bhaint as seomraí an tí, theastaigh uaidh méid a ghrá di a chur in iúl do na fallaí amhail is go raibh sí féin ag éisteacht. Ach níor scairt mar thuig sé go raibh an chruinne is a raibh inti chomh bodhar le capall maide. Rud a thuigfeadh sí féin mar go rabhadar beirt ina ndíchreidmhigh.

Sea, díchreidmhigh gan ghéilleadh. Rud a thaispeáin sé lá na sochraide. Faid is a bhí muintir Kate ag sileadh na ndeor, d'fhan sé féin cois na huaighe ag fulaingt leis i dtriomacht. Agus maidhm ina scornach. Ar chuma éigin bhraith sé go mba ghéilleadh do Dhia deoir a shileadh ar thaobh an teampaill. B'in é an uair ar chuaigh an sagart paróiste an-ghéar air filleadh ar an aifreann. Ghabh sé buíochas leis an sagart ach mhínigh sé a chás dó – beo nó marbh nach mbeadh aon ghéilleadh; mar gur chreideamh de shaghas é an díchreidmheacht agus an dúthracht chéanna á leanúint.

Thug an cliotar ón gcúlchistin ar ais ar an saol é. Scríobadh is díoscán, is ansin clingireacht shocair na gcupán – ansin tost. Ansin coiscéimeanna Julia, a mháthair cheile, righin is trom an pasáiste aníos, ansin sos lasmuigh. Conas a chuirfeadh sé lá eile den saol seo isteach? Gan chabhair! Cabhair ón aon duine amháin sa chruinne a d'fhéadfadh fóirithint air – Kate. Chuimil sé a lámh de phláta *willow*. B'ait leis gur dhein ionga a mhéire mar a bheadh cnagadh ar an imeall. D'iniúch sé an lámh chreathánach – bhí sé ag déanamh aeir mar a bheadh seabhac.

Dhein úll an dorais cnagadh agus ansin na hinsí ag géilleadh. Níor chas sé ach bhraith sé a dhrom á iniúchadh. 'An bhfuil aon chuimhneamh agat ar ghreim a ithe, trí lá gan oiread is cantam aráin?'

Bhí an créatúr ag déanamh a dhíchill. Níor thug sé aon toradh uirthi, mar bhí sé chomh neamhshuimeach inti is a bhí sé ina chiotrúntacht féin. Dhein sí casachtach bheag is lean uirthi.

'Muna n-itheann tú rud éigin, dá laghad é, beidh corp eile againn ag dul faoi dhéin an teampaill. É sin ab ansa léi féin.'

Ní raibh sí anseo ach cúpla lá is cheana féin thuig sí an chumhacht a bhí aici ach Kate a lua. Ach bhí sí freisin ag déanamh buartha dó ar chuma éigin. Chas sé is é ar tí aghaidh bhéil a thabhairt uirthi ach níor dhein sé ach 'pé rud a deirir,' a rá léi.

Chuadar go dtí an chistin mar a raibh béile de shórt ullamh aici, clóisíní friochta. Dhein sé ceann acu a bhlaiseadh. Thógadh sé a thuilleadh den tine. Anois dá mba Kate a.... Leag sé uaidh an forc. Bhí sé damnaithe! Kate, Kate, Kate! Chuaigh sé go dtí an cuisneoir is chuir ceapaire le chéile is shuigh chun an bhoird arís. Is feadh na faide Julia mar a bheadh cat ar tí léim.

'Tuigim,' ar sise, 'conas a bhraitheann tú mar gheall ar na cártaí aifrinn. Is mór an trua é. Níl baint dá laghad acu le Dia, ach daoine nár éirigh leo dul ar an sochraid. Agus na bláthfhleascanna, tá an liosta agam, caithfir scríobh chucu ag gabháil buíochais.'

Nuair a chuala muintir Kate an focal *cremation* ba bheag nár ionsaíodar é. As sin amach ba leo an lá. Chan bean éigin *Lacrimosa Dies Illa* sa séipéal – rud a thaitneodh go mór le Kate féin ach ní mhaithfeadh sí dó an liútar éatar a lean é. 'Maith dom é,' ar seisean os íseal.

'Cad é sin?' arsa Julia. 'Dála an scéil, dhóbair dom dearmad a dhéanamh air, Flanagan, tá cloch á gearradh aige, cloch dhubh éigin a bhfuil an-snas go deo uirthi – níor thaitin an chloch ghainimhe liom – tá sí daor, ach is é is lú is gann dúinn a dhéanamh don chréatúr, go ndéana Dia trócaire ar a hanam. Tá meaisín ag Flanagan ó Mheiriceá agus tig leis pictiúr Kate a ghearradh ar an gcloch. Ar chéad punt breise d'fhéadfadh sé pictiúr de chéasadh na croise a ghearradh taobh léi. Tá sé an-néata agus ní dhéanfadh saor cloiche den seandream go deo é.' Stad sé de bheith ag cogaint is d'fhéach uirthi go cliathánach. Bhí snas ar a súile ó bheith ag gol.

D'fhéadfadh sí tosú arís aon nóiméad anois. Bhí misneach ag an gcréatúr agus ba í Kate an t-aon duine clainne a bhí aici.

Chlaon sé ina leith is labhair os íseal, 'Ní bheidh aon chéasadh croise, ní bheidh aon phictiúr, ní bheidh ann ach a hainm, Kate Kerins, 1953-1985, is na focail seo scríte faoi:

> Sunset and evening star
> And one clear call for me
> And may there be no moaning of the bar
> When I put out to sea.

D'fhéach sí síos ar an talamh is na deora á tachtadh. 'In ainm Dé cad is brí leis sin? Cén beár, conas beár?'

D'inis sé di gurbh iad na línte ab fhearr léi de chuid Tennyson.

'Níl aon eolas ag muintir na háite timpeall Tennyson.'

'Tá agamsa agus is leor sin.'

Sea, bhain sin tost as an gcistin is gan le cloisint ach an clog. Go tobann d'éirigh sí is thug sí faoi na gréithre. Dar leis bhí an cibeal a bhain sí as an doirteal beagáinín iomarcach. Stad sí go tobann is d'fhéach sí amach ar an tráthnóna.

'Is bocht an scéal é nár thit bhur scáth riamh ar dhoras an

tsáipéil, go dtí gur tháinig an bás ar cuairt chugaibh!'

'Sáipéal! Cad ab áil linn de?'

'Chun maithiúnas Dé a iarraidh as bheith in bhur mbeirt phágánaigh, cad eile?'

Ní raibh an focal díchreidmhigh i gcaint na comharsanachta, dhéanfadh págánaigh an chúis go néata.

'Botún mór ba ea é, tuigeann sí anois é.'

'Náire chugat as a leithéid a chasadh léi, cailín nár leag barra méire ar éinne riamh!' Scread sé uirthi mar is cinnte gur ceacht ar ifreann a bhí ar siúl aici. Agus má bhí aon rud laistiar dá bheith ina dhíchreidmheach, ba é ifreann é agus a raibh de sceon fulaingthe aige ina óige dá bharr.

Ach lean sí léi: 'Déarfad mo rogha rud. Mise a sheol isteach i solas an lae í, mise a dhein banaltracht uirthi, mise a dhein cúram di is gach aon chóir agam uirthi. Is mó is liomsa ná leatsa í, ach ní le ceachtar againn anois í. Ach le Dia.'

Chas sí is thug aghaidh air. 'Sea, Dia! Cad a déarfaidh sí Leis nuair a fhiafróidh Sé di canathaobh nár bhaist sibh an gearrchaile bocht sin thuas sa leaba?'

Steall sí uisce soir is siar chun cur leis na focail. Bhí sé chun a rá léi an tigh a fhágaint ach stop sé é féin in am mar cad ab fhiú a bheith ag argóint faoi chúrsaí creidimh – ba é an scéal céanna ar fud na hÉireann é. Fir nach raibh aon dóchas acu as maitheas an tsaoil seo ag dréim le seans sa saol eile. Má bhí bonn lena saol ba é an phiseog é, agus ollphéisteanna Loch Deirg ag lámhacán soir in aghaidh an lae. Ach bhraith Julia go raibh buntáiste faighte aici tráth is nár fhreagair sé í.

'Agus gan aon chéad chomaoin, ach ina áit an créatúirín a thabhairt go dtí an zú i mBaile Átha Cliath. Moncaithe in ionad grásta Dé!'

Léim sé ina sheasamh. 'Ní beag sin, Julia, táim ag iarraidh ort an tigh seo a fhágaint! Láithreach!'

Thit na lámha lena taobh is tháinig cuma chloíte uirthi. Shuigh sí le hais an bhoird.

'Sea,' ar sise, is í ag brú na ndeor fúithi, 'ba mhaith liomsa imeacht leis. Ach ní féidir....'

D'fhéach sí timpeall an tseomra is diaidh ar ndiaidh bhris a gol uirthi.

'Ní aon rud agamsa ag baile a chuireann í i gcuimhne dom, ach an áit seo, baineann a bhfuil sa tigh léi, *geraniums*, tuáillí, criostal....'

Phléasc na deora amach go pras. 'Sea, a mhic, gach cúinne den tigh ag scairteadh Kate Kerins orainn.'

D'fhéach sé ina thimpeall, bhí an ceart ag Julia, bhí an bhean ar fud an tí fós. Bhí sé dochreidte nach mbeadh sí ag filleadh go deo. Ní fhéadfadh sé a bheith fíor, ní raibh sé fíor, ní ghlacfadh sé leis! Ach phlab an ghaoth an doras is bhain an tuargain a dhein sé preab as a aigne. Ní bheadh sí ag filleadh.

Gan aon choinne bhraith sé an mhaidhm ina scornach is na deora ag déanamh ar na súile. Léim sé ina sheasamh amhail is gur priocadh é. Ní raibh sé chun aon deoir a shileadh agus Julia i láthair, bí siúráilte de sin. Ach bhí smaoineamh ní ba mheasa ag gabháil stealladh air, an mbeadh sé ar a chumas an saol nua seo a láimhseáil, is é sin dul ar aghaidh, a shlí a dhéanamh? Ina aonar? D'fhéach sé timpeall an tí arís; ní raibh sé ach leath chomh folamh is a bhí a chroí; ghabh freang tríd.

Thriomaigh Julia a súile le ciarsúr.

'Séard a mholaim duit, ná a bhfuil de ghiúirléidí sa tigh a chuireann í i gcuimhne dhuit a bhailiú is a chaitheamh amach, tabhair uait don St. Vincent de Paul iad.'

'Ambaist nach ndéanfad. Is maith liom aon rud a thugann chun mo chuimhne í.'

'Éist le gaois na sean, tabhair uait a cuid éadaí, bróga, peirfiúm nó cuirfidh siad le gealaigh thú, mise á rá leat. Bhí gaois ag na sean chomh sean leis na goirt.'

'Gach rud mar a bhfuil is mar atá,' ar seisean.

'Bíodh agat, más ea!'

'Beidh'

Agus bheadh, go mór mór an gúna gorm úd leis na muinchillí scoilte a nocht stialla dá craiceann órga – stíl na meánmhara. Go tobann thosaigh sí ag stealladh uisce arís, bhí sí chuige arís.

'Tá sé in am agaibh bheith ag cuimhneamh ar cad tá romhaibh, is é sin tú féin is an gearrchaile.'

'Ní baol dúinn.'

'Níl an scéal chomh bog agus a cheapann tú, tá sí ag déanamh cumha na máthar.'

'Caithfidh an bheirt againn déileáil leis le chéile.'

'Ní bheidh sé chomh fuirist sin dise – bean eile atá uaithi.'

Thug sé féachaint an-ghrod uirthi, 'conas bean?'

Thriomaigh sí na lámha ina haprún. 'Ná cuimhneofá ar an gcréatúirín a scaoileadh siar go Baile na nGiománach im threanntasa go ceann cúpla mí. Gheobhaidh sí cúram is cóir ó sheisear ban – is é is fearra dhi – mná i dteannta na mban in aimsir bhróin, ní haon mhaith iad na fearaibh.'

Gan aon mhaith sna fearaibh, mhuis! B'in é port na mban ar fud an domhain – scéal cam orthu! Í a scaoileadh siar, an ea? Saol na bpiseog, saol na bpaidríní, saol na bpúcaí, draíocht, claonaigne, gliceas. Bheadh sé gan iníon. 'ní baol di, searrach na dea-lárach í.'

'Níl sí ach sé bliana d'aois, ar a laghad lig siar go ceann míosa í.'

Sea, is thiocfadh sí abhaile is na *miraculous medals* fuaite isteach ina cuid éadaí, is cá bhfios, ina haigne leis. Ba mhar a chéile é is an 'soup' a thógaint. D'éirigh sé ón mbord is ghabh sé buíochas léi as na clóisíní agus dúirt go raibh sé chun scéal a insint do Annie roimh dul a chodladh di. Mheabhraigh Julia dó gur dhiúltaigh sí dul isteach ina leaba féin is go raibh sí ina sheomra siúd. D'iompaigh sí uaidh is thosaigh ar na gréithre arís.

Thuas staighre d'oscail sé an doras beagáinín chun faire tríd an scoilt ar Annie i ngan fhios di. Leaba mhór *four-poster* a bhí ann – sladmhargadh ar cheant an duine dheireanaigh de na Brigham-Woods. D'fhéach sí an-mhion i bhfairsingeacht bhán na leapan is greim fhíochmhar aici ar a teidí. Bhí sí bán san aghaidh is na súile in imigéin agus b'fhéidir iad rómhór. Agus an ordóg ina béal aici. Rith sé leis gur ar éigean a labhair sé léi le trí lá anuas, de bharr na tubaiste. Bhrúigh sé an doras isteach is dhruid suas go taobh na leapan chuci.

'Haló, Dailí,' ar sise gan a croí laistiar de. B'fhusa léi Dailí a rá ná Daidí is thaitin sé leis. Bhraith sé gur chúlaigh sí uaidh sa leaba. Bhuail sí an ordóg isteach ina béal arís.

'Conas tá mo chréatúirín in aon chor, aon phóg agat do Dhailí?' Chrom sé os a cionn is sciob póg di.

'Féachann tú go hálainn sna *pyjamas* sin. An cuimhin leat cá rabhamar nuair a fuairis iad an chéad lá?'

Thuig sé láithreach an tuaiplis a bhí déanta aige. Cheannaigh Kate di iad i Disneyland i rith an tsamhraidh. Aicíd air mar scéal mar siúd a súile ag éirí scamallach go dtí gur rith na deora léi.

'Cá bhfuil Mamaí, tá mo Mham uaim, anois, an gcloiseann tú, Dailí, anois, mo Mhamaí!'

Isteach leis an ordóg arís. Ba bheag ná thit sé leis an iontas! An amhlaidh nár inis éinne di go bhfuair a máthair bás!

'Cá bhfuil sí. Dailí, cad a dheineadar léi, dúradar go raibh sí breoite, tá eagla orm, Dailí, tá sí uaim!'

Tháinig na focail amach in aon uaill amháin. Isteach leis an ordóg arís. D'fhéach sí suas air agus bhí iarracht den dúshlán ar an bhféachaint.

'Tá sí uaim,' ar sí arís de scread agus bhris an gol uirthi.

Agus tá sí uaimse chomh maith, ar seisean ina aigne féin. Cad a dhéanfaidh mé anois? Sall leis go dtí an fhuinneog féachaint an bhfaigheadh sé inspioráid in áit éigin. Ach níor chuimhnigh sé ar aon rud – ach a luaithe is a bhí an oíche ag titim ar an gcoill, bhain an tigh searradh as féin, agus d'fhás scáthanna trasna an urláir.

Shiúil sé ar ais go dtí colbha na leapan is d'fhéach síos ar an leanbh deorach. Iníon le beirt dhíchreidmheach ba ea í agus tar éis an tsaoil séard a bhí sa díchreidmheacht ná a fhírinne chrua a chogaint. Scaoil amach é, a mhic!

'Annie, a chroí, níl Mamaí linn a thuilleadh!'

Sea, bhí sé raite aige.

Dhein an leanbh iarracht ar na focail a thuiscint is tháinig cuma fholamh ar na súile.

'Cad is brí ... cad tá i gceist agat?' ar sí de chogar.

D'fhéach sí air amhail is gur cluiche a bhí ar siúl eatarthu agus go raibh sé thart anois. Scread sí: 'Tá Mamaí uaim anois chun scéal a insint dom, anois, Dailí!' D'fhéach sí air is chonaic nach cluiche a bhí ann. Leath an scanradh ar a haghaidh.

Bhog a scornach leis an slogadh agus d'fhéach sé timpeall an tseomra féachaint an raibh aon éalú. Bheadh sé seo cruálach. Bheadh an fiaclóir cruálach freisin. 'Annie, an cuimhin leat Bruno?'

'Sea, madra deas,' ba chuimhin leis na súile.

'Sea, madra deas ach fuair sé bás, agus chuireamar sa ghairdín é – sa talamh, faoin bhfód.'

Agus an ceangal?

'Annie, níl sé linn a thuilleadh.'

D'fhéach sé uirthi is bhraith sé na focail sin ag titim trína haigne, ag titim, ag titim chomh mall, chomh fuar leis an sneachta. D'fháisc a greim níos mó ar an teidí is chúlaigh sí uaidh isteach sna blaincéidí.

'An bhfuil Mamaí faoin bhfód?'

D'fhéach sí air amhail is gur sprid a bhí ann. Aha, cailín cliste a bhí aige, ní raibh aon dabht air sin.

'Sea,' ar seisean, amhail is a bhí gaisce á dhéanamh aige, 'Sea, Annie, tá Mamaí faoin bhfód.'

'An bhfeicfidh mé go deo arís í?'

Bhailigh sé pé neart a bhí ina chroí. 'Ní fheicfidh tú í .... go deo arís.'

D'fhéach sí suas air. Bhí na deora imithe faoin am seo is an béal ar leathadh. D'iompaigh dath uirthi is dhein sí slogadh. 'Go deo arís?' ar sise. 'Cad a dheineas as an tslí?' siúd na deora léi arís. 'Canathaobh ná ligfear dom í a fheiscint arís?' ar sise in aon uaill amháin. 'Dailí, led thoil, lig dom í a fheiscint uair amháin eile ... uairín amháin eile.'

Bhí a bhean ag teastáil uaidh anois níos mó ná an gearrchaile. Níor thuig sí cad ba bhrí le bás. Is dóigh léi go bhfuil sí i seomra éigin sa tigh fós.

Cad a déarfadh sé léi in aon chor. Tháinig focail chun a bhéil, gach ceann acu níos measa ná a chéile, focail ón domhan mór amuigh, domhan mór fásta. 'Kate, cad a déarfaidh mé léi in aon chor,' ar seisean ina aigne féin.

'Annie, a stóirín, a...., táimid inár n-aonar, ach táimid le chéile freisin, agus táimse, tá Dailí chun aire mhaith a thabhairt duit, 'dtuigeann tú, beimid sona le chéile,' ar seisean agus a fhios aige go raibh gach focal díobh ina bhréag.

Dochreidteacht a bhí ag leathadh ar a haghaidh. Lig sí béic aisti, 'Mamaí, mo Mhamaí atá uaim, Mamaí amháin, níl tú uaim, Dailí!'

Cad a d'fhéadfadh sé a dhéanamh? Bhí sceon nó rud éigin uirthi mar bhí an fócas imithe as na súile. Chrom sé síos is thóg as na blaincéid suas ina bhaclainn í. D'fháisc sé leis í ach ní raibh sí sásta. Ag iarraidh éalú as a bhaclainn a bhí sí. Go tobann thosaigh sí ag béicigh agus ag gol chomh hard caol sin gur mheas sé gur *fit* a bhuail í. Ní stopfadh sí. Tháinig scanradh air mar ná faca sé riamh mar seo cheana í. Rith sé chun an dorais is d'oscail é is lig scairt as, 'Julia!'

Ach bhí sí ansin ag an doras an t-am ar fad – ag éisteacht ní foláir. Is buacach an fhéachaint a thug sí air nuair a thóg sí an leanbh uaidh go breá réidh; b'ionadh leis a bhoige is a ghéill Annie don tseanmháthair.

'Cad dúrt leat?' ar sise. 'Bean atá uaithi! Is bocht an t-áthas tusa di. Imigh leat ag siúl is fág fúmsa í!'

Bhailigh sé leis chomh stuama is a d'fhéadfadh sé gan féachaint laistiar de. Sa ghairdín chuir sé a dhrom le crann úll. D'fhéach sé mórthimpeall air, ar na leapacha bláthanna a bhí leathdhéanta, agus is leathdhéanta a d'fhanfaidís mar ba le Kate iad. Bhí sé fágtha i ndomhan leathdhéanta duine eile. Agus iomairí cabáiste.

'Cabáiste,' a dúirt sé; tháinig an focal go deas seolta as a bhéal. B'in é an cabáiste ná híosfaí, mhuis. Múchadh an solas thuas staighre. Bhí an tráthnóna ag déanamh suaimhnis agus boige ar an aer – ar an aer sin tháinig monabhar na seanmhná chuige ón gcistin. D'fhéach sé ina thimpeall arís agus go tobann thuig sé. An tsáinn ina raibh sé ba mheasa é ná an aonaracht – ní raibh sé i bpáirt.

Ba leor an smaoineamh chun é a scanrú as an ngairdín agus suas ar ghort an tSionnachánaigh. Dhein sé cosán trí na bulláin go dtí gur bhain sé amach coill na Cluanach. Ar urlár na coille bhí brosna tirim agus duilliúr feoite. Ba shásúil an snapadh briosc a bhain a bhróga astu. Stad sé is chas timpeall. D'fhéach sé uaidh síos ar an tigh.

Ag an bpointe sin díreach thit an oíche. Ní raibh aon solas le feiscint in aon fhuinneog. Níor chuimhin leis go bhfaca sé mar sin riamh é. Chuir sé a dhrom le crann eile. Thagadh sé féin is Kate anseo gach fómhar chun .... Kate! Kate! Kate! Bhí sé damnaithe aici. B'in é an fáth ná féadfadh sé an cailín beag a ionramháil, mar go raibh sé chomh spleách sin uirthi nach raibh ar a chumas nóiméad a chaitheamh gan cuimhneamh uirthi.

Dúirt sé leis féin dá bhféadfadh sé siúl ar ais go bun ghort an tSionnachánaigh gan cuimhneamh uirthi oiread is uair amháin go mbeadh leis. Sea, sin agat é! As go brách leis síos.

Ní raibh ach deich gcinn de chéimeanna tógtha aige nuair a chuir an scéal seanchill Naomh Fachtna i gcuimhne dó. Bhí sé geallta go rachfá sna flaithis, ach gabháil timpeall na cille deiseal trí huaire gan cuimhneamh ar bhean, olc, maith ná dona. Níor éirigh leis riamh. 'Ecclesiastical chauvinism' a thugadh Kate i gcónaí air sin. Marbhfháisc air mar scéal, bhí sé déanta aige, Kate! Stad sé i lár an ghoirt. Stad na bulláin is thógadar a gceann. Stad an ré is na réalta. Stad an chruinne. Bhí an saol faoi ghlas. Go dtí gur las fuinneog uachtarach an tí.

Agus ba leis an tigh céanna, agus dar fia ach go raibh sé chun seilbh a ghlacadh air ó Julia. Síos leis, agus isteach sa chistin is shuigh cois tine. Bhí sí ag cniotáil is níor lig sí uirthi go raibh sé tagtha isteach. Ach ní fhéadfadh sí fanúint ina tost.

'Ná cuimhneofá ar na bróga a bhaint díot, táid báite?'

'Tá siad báite is táimse sásta,' b'in an méid a dúirt sé. Bhí sí tar éis a saol a thabhairt ag troid séideán, taisriú, an braon anuas, tae láidir, snas liath, agus dá bharr bhí sí an-ghearánach ar an gcine daonna.

'Mar sin féin, cá mbeifeá dá mbuailfeadh slaghdán amárach tú? B'in an rud a tharla do Jack, go ndéana Dia trócaire ar a anam.'

Ba chuimhin leis a fear céile, fear a thug a thamall ar an saol seo ag siúl na hiothlainne le buicéad.

'Mheasas gur ailse a fuair sé.' Ar seisean agus iarracht bheag den mhioscais ar na focail.

'B'fhéidir go raibh ábhairín beag de air ach ba é an niúmóine a mhairbh sa deireadh é!'

Agus b'in bás creidiúnach – niúmóine. Lean sí léi ag cniotáil, clic cleaic ar siúl ag na bioráin cniotála. Tar éis tamaill rith sé leis go raibh rud éigin as alt. D'fhéach sé timpeall an tí. An clog! Bhí sé stoptha, an 'Dublin regulator' a bhí beagnach dhá chéad bliain d'aois. Kate a dheineadh é a thochras i gcónaí.

'Tá an clog stoptha,' ar seisean. Níor thug sí aon aird air ach lean dá cniotáil. Sall leis go dtí an clog, rug ar an eochair, is d'oscail an aghaidh.

'Nár mhaith an smaoineamh é a fhágaint stoptha? In onóir do na mairbh, is é sin. Go ceann míosa abair?'

Stop an lámh a bhí díreach ar tí tochras. Cad a bhí ar siúl aici? Piseoga! Bhí sí an-tugtha do phiseoga. Agus bhí sé féin agus Kate i gcónaí ag troid na bpiseog de réir mar a bhí Julia ag troid na séideán agus an snas liath. Thosaigh sé ag casadh na heochrach chomh mall agus a d'fhéadfadh sé chun údarás a chur ar an seanbhean. Ach bhí botún déanta aige, mar bhí air anois na *chimes* go léir a dhéanamh ón a cúig a chlog suas go dtína deich a chlog. Ghlac na *chimes* seilbh ar an tigh, agus i ngach *chime* acu teachtaireacht dó féin nár mhaith leis a thuiscint.

Shuigh sé cois tine arís ach faoin am seo bhí na cosa préachta aige, agus ní fhéadfadh sé na bróga a bhaint de. Lean Julia ag cniotáil amhail is dá mbeadh a fhios aici. Sea, bheadh air í a chur abhaile, trí lá eile, ansin turas siar – ticéad singil. Sea, d'fhéadfadh sé féin obair an tí a dhéanamh. Ach amháin an níochán. Agus an chócaireacht. Bhuel, bheadh air é a fhoghlaim. Go dtí sin, *burgers*. Ag an am céanna bheadh air a aghaidh a thaispeáint amárach mar bhí an droichead le críochnú agus eisean an t-innealtóir comhairleach. Mmmm! Trí lá beagáinín róthobann, cad faoi sheachtain. Sea, seachtain. D'éirigh sé is thóg sé buidéal Crested Ten anuas.

'An ólfá cnagaire?'

'Braon den stuif sin níor chuaigh faoin bhfiacail agam riamh.'

Líon sé ceann a raibh dealramh leis amach dó féin is chaith

siar é. D'fhan sé leis an mbuille. Raid sé sa bholg é. Lig sé osna
bhuíoch as. D'fhéach sé go cliathánach ar Julia. Bhí rud amháin
nár thuig sé agus ba é seo é. Cad as ar tháinig Kate? Mar ní
raibh ina máthair ach óinseach chruthanta, is ní taise dá hathair
é – nuair a bhí sé ina bheatha. Maidir leis na gaolta ní raibh aon
chur síos orthu ach aiteann, aiteann comónta gan mhaith. Agus
b'in cruthú eile nach raibh aon Dia ann, Kate marbh agus an
chuid eile faoi bhláth.

'Ba cheart duit an deoch a thabhairt suas. Go dtí go mbeidh sé
seo go léir thart, is é sin.' Bhí sé ar tí an buidéal a chur ar ais sa
chófra nuair a labhair sí. Bhain sé an corc de an athuair is líon
amach ceann maith láidir eile. Siar leis.

Lean sí léi, 'mise á rá leat, deineann an t-ól an t-uafás damáiste.
Féach Paky Connor! Cailleadh an óinseach mná air is tá sé i
straight jacket ó shin. An t-ól, cad eile? Mise á rá leat.'

Bheadh air í a chur abhaile maidin amárach! Gheobhadh sé
banaltra éigin chun aire a thabhairt do Annie bhocht. Bhuail
sé an corc ar an mbuidéal is thug sé aghaidh uirthi. In ionad
fógra díbeartha a thabhairt di is amhlaidh ná dúirt sé ach,
'Táimse ag dul a luí. Neosfaidh mé scéal do Annie má tá sí fós
ina dúiseacht.'

Bhíog sí as an gcathaoir mar a dhéanfadh cat, thit na bioráin
uaithi is bhí bagairt sna focail.

'Tá sí ina leaba féin anois. Ná cuimhneofá ar í a fhágaint mar atá
sí is gan cur isteach uirthi.'

'Ar mo leabhar breac,' ar seisean ina aigne féin, 'go mbeidh mé ar fud na hiothlainne le buicéad aici gan aon mhoill; nó beidh mé gan iníon.' Níor dhein sé ach féachaint mhallroisc a thabhairt uirthi chun go bhfeicfeadh sí an ghráin, chun go dtuigfeadh sí.

Bhí solas oíche taobh le leaba Annie, í go socair faoi na braillíní, is a hordóg dingthe ina béal aici. Dá n-éisteofá chloisfeá fuaimeanna beaga súraic. Nuair a shiúil sé chuici bhog na súile ach ní raibh aon chomhartha áthais faoi mar a bhíodh seachtain ó shin. Nuair a chrom sé os a cionn d'fháisc sí an teidí léi is dhein fócas ar an bpilliúr.

'Aon phóg agat do Dhailí, a chroí,' is thug sé sonc don teidí. Lean sí den súrac go ceann tamaill gan féachaint air. Go tobann thóg sí í féin ar a huillinn is labhair go cainteach leis: 'A Dhaidí, d'inis tú bréag dom!'

'Canathaobh ná tugann tú Dailí orm faoi mar a dheinteá go dtí seo?'

'Mar, Maimeo, dúirt sí go raibh sé mícheart, leanaí óga a deireann é sin, Daidí is ceart a rá.'

'Maimeo!' Bhí sé díreach ar tí rith síos staighre agus Julia a ruaigeadh abhaile siar. 'Tabhair Dailí orm led thoil,' ar seisean, 'anois cad é seo mar gheall ar bhréag?'

'Dúraís go raibh Mamaí cosúil le Bruno – curtha sa talamh.' Shuigh sé síos ar cholbha na leapan agus eagla air a fhiafraí di cad a bhí i gceist aici.

'Is bocht an scéal é,' ar seisean, 'ach is mar sin atá, a stór, caithfimid cur suas leis.'

Chúlaigh sí uaidh go tapaidh agus d'fhás cuma chrosta ar na súile.

'Níl sí, níl sí! Tá sí sna flaithis mar aon le Dia is a chuid aingeal.'

Thaispeáin sí taobh clé a haghaidh dó go dúshlánach; isteach leis an ordóg i gcomhair cúpla súrac eile, ansin amach arís.

'Agus má bhaineann éinne liom, má bhuaileann éinne mé, cuirfidh sí aingeal síos ó neamh chun mé a chosaint.'

Isteach arís leis an ordóg.

Bhíothas tar éis preab a bhaint as, ceann gan choinne, agus níor thuig sé conas ba cheart dó é a ionramháil – bhí sé mar sin i gcónaí le preabanna. Bhí a chuid cainte briotach nuair a labhair sé, stop sé, d'fhéach arís go fuar ar a iníon.

'Cé a chuir an raiméis seo id cheann?'

'Maimeo!' a dúirt sí le dúshlán, ach chrith taobh a béil le méid an amhrais. Ansin thosaigh sí arís, ach an t-am seo bhí impí ar a glór is na deora le cúinní na súl.

'Tá sí thuas sna flaithis anois agus tá sí ag féachaint anuas ar an mbeirt againne agus tá sí ag gáire – agus lá éigin gheobhaidh Maimeo agus tusa agus mise bás agus ansin rachaimid suas chuici agus beidh an-*time* go deo againn. Nach fíor sin, a Dhaid, abair gur fíor, abair sea, abair sea, a Dhaid, uairín amháin eile.'

Bhí na dathanna ag iompó ar a haghaidh de réir mar a bhí an misneach ag líonadh is ag trá. Isteach leis an ordóg is gach súil in airde aici ar an athair. D'fhéach sé síos uirthi agus é ar bheagán dóchais. Shuigh sé taobh léi is rug ar lámh uirthi. Bhí an lámh chomh lag le stoca.

'Annie,' ar seisean, 'tusa is mise, caithfimid ....'

Chúlaigh sí a thuilleadh uaidh. Níor chríochnaigh sé an abairt mar ná feadair sé cad ba cheart dó a rá. Bhí ag teip ar an misneach agus bhí sé tuirseach, tuirse na seacht saol. Ní raibh ach smaoineamh amháin aige, 'Kate, cá bhfuil tú anois.' Sea, thuigfeadh sí láithreach cad ba cheart a dhéanamh.

Lean sé air, 'Annie, caithfimid ... an dtuigeann tú.... caithfimid an fhuinneog a dhúnadh mar tá sé fuar.'

'Shiúil sé trasna an tseomra is stad ag féachaint an fhuinneog amach. Ní raibh le feiscint ach imlíne na coille is corrán gealaí os a cionn in airde. Bhí rud uaigneach i gcónaí ag baint leis an gcorrán gealaí.

'Tá an fhuinneog dúnta cheana féin, a Dhaidí!' ar sise.

Ghluais sé ar ais. 'Agus an ceart agat, a chroí.'

Thóg sé a lámh arís. 'Féach, a chroí, caithfidh misneach a bheith a... Ach thuig sí láithreach an dul a bhí ar a chuid cainte, is phléasc sí amach ag gol! Ni raibh aon chosaint aige ar ghol. Uair amháin a dhein Kate air é is ghéill sé an chruinne di dá bharr. Ach ní raibh sé chun glaoch ar Julia an t-am seo. Phioc sé as na braillíní í go deas séimh is thóg ina bhaclainn. Níor dhein sí aon chur ina choinne an turas seo ach lean sí den phusaíl. Ansin stop an gol go tobann agus labhair sí os íseal ar fad ar fad:

'A Dhaidí, abair na fuil Mamaí amuigh sa talamh fuar, abair é, a Dhaidí'

Shiúil sé síos is suas an seomra ag smaoineamh ar an gceist. Níl aon dabht air ach is crua an cás do ghearrchaile é. Stop sé i lár an tseomra. Ach is measa mar chás agamsa é, ar seisean ina aigne féin. B'in é an dara huair gur bhuail fonn goil é, is ba bheag nár bhris na deora amach air. Stop sé ag an bhfuinneog is d'fhéach arís ar an gcorrán gealaí. Labhair sé an-íseal isteach ina cluas.

'Níl Mamaí amuigh sa talamh fuar.'

Níor fhéach sí air ach bhain an ordóg amach arís.

'Agus níl sí san áit ina bhfuil an madra?'

'Níl'

Lagaigh sí ina ghreim. Isteach leis an ordóg an fhaid a dhein sí an t-eolas nua seo a chur trí chéile. D'fhiafraigh sí de i gcogar an-íseal ansin agus iarracht bheag den ghol fós laistiar de na focail, 'Agus tá sí sna flaithis mar aon le Dia is na haingil?'

Cad a déarfadh sé anois? Díchreidmheach ba ea é nár luaigh an focal Dia riamh le hAnnie. Mar sin féin ní raibh sna flaithis ach meafar. Agus bhí gá ag páistí le meafair. Agus gá níos mó ag daoine fásta leo. Kate sna flaithis – ba dheas an íomhá é, bhí sé compordach agus ar chuma aisteach thug sé sólás dá chroí cráite.

'Tá,' ar seisean, 'tá sí sna flaithis.' Ghluais na focail go deas seolta as a bhéal. Díchreidmheach ba ea é a bhí anois tar éis peaca marfach a dhéanamh.

'Bhí an ceart ag Maimeo, a Dhaidí?'

'B'fhéidir.'

'Agus an bhfuil na flaithis lán d'aingil.'

'Tá.'

'Agus an ndéanfaidh siad mé a chosaint i gcónaí?'

'I gcónaí.'

'Agus an bhfuil Mamaí ag gáire anois?'

'Tá.'

Bhí sé cinnte de rud amháin anois, dá mbeadh Kate anseo bheadh sí ar buile chuige. Canathaobh? Mar bhí an bheirt acu an-daingean i gcónaí i gcoinnibh Dé. Ach bhí an leanbh an-socair dá bharr. Bhí sí ag meamhlach is ag tarrac léi ar an ordóg. B'fhéidir nach mbeadh Kate ar buile chuige.

'Cén saghas gúna atá á chaitheamh aici, a Dhaidí?'

Bhain an cheist siar as. 'Conas gúna?'

'Tá's agat gúna. Sna flaithis. Anois?'

'Tá gúna nua á chaitheamh aici,' ar seisean. 'Tá sé gorm agus luascann sé nuair a shiúlann sí.'

Agus thug an íomhá sin an-sólás ar fad dó. Ag gáire sna flaithis agus gúna breá gorm. Ba dheise d'íomhá é ná a bheith sínte sa chré fhliuch i dteannta an mhadra. Agus íomhá eile Annie, an triúr acu le chéile am éigin arís, thug sin sásamh dó is shéid sé teas isteach ina aigne sceirdiúil. Thuig sé anois go raibh rud éigin tar éis teitheadh in éineacht leis na mílte scáthanna, scáthanna a bhí tar éis a shaol a bhochtú.

Bhí an gearrchaile go sámh ina codladh faoin am seo agus lean sé ag siúl suas is anuas an seomra go dtí gur stop sé ag an bhfuinneog arís. Bhí tarrac éigin ag an bhfuinneog air, an ghealach, is dócha, sea, é a bheith go hard sa spéir, cosúil leis na flaithis, arc, geal is é ag geallúint.

Bhí réiltín amháin in aice na gealaí – bhí sé mar a bheadh súil chait. É seo agus b'fhéidir an tost a bhí tite ar an saol a thug na deora go dtí na súile aige sa deireadh. Rud seascair ba ea an gol, é te agus faoiseamh mór ina dhiaidh. Tháinig na línte filíochta ab ansa léi go bruach a bhéil is dúirt sé iad go híseal:

> *Twilight an evening bell*
> *And after that the dark,*
> *And may there be no sadness of farewell*
> *When I embark.*

Sodar Breá Bog go Cluain Uí Eachaigh

Tháinig sí trínár línte ag sá roimpi an tralaí ar a raibh dinnéar na sagart, a muineál geal bog os cionn na ceathrú uaineola, prátaí buí rósta, sás bán, brocailí, sútha talún is uachtar. Sháigh sí léi go mall trínár dtost, an bhean inti ag griogadh ár mianta, ó fhiacla uisciúla na sóisear go súile loma na sinsear a chuardaigh a coirpín cóir dá rúin is í ag éalú uainn.

Chonac arís sa suanlios í, scuab deannaigh ina lámh is í ag glanadh faoi na leapacha. Ghluais mé thairsti, gáire ar mo bhéal. Bhí cáiréis ina súile ar dtús ach ghéill siad; scar na liopaí óna chéile. Bhí siad fliuch. Rugas a liopaí fliucha liom i mo chroí go dtí halla an staidéir mar a raibh na céadta mac léinn i mbun saothair thirim. Chuala na pinn ag scríobhadh, is na leathanaigh á gcasadh, is theip orm mo *Odaisé* a smachtú. Ghluais scáth fada an Athar Shorte tharainn ag cur bholadh *Readers' Digests*, saothar Cheyney agus drochlitríocht nach é, i measc na gceann cromtha.

D'fhan a béilín tais clóbhuailte i m'aigne ach is suarach liom cuimhne fhuar – níl aon fhorbairt ann. Maor scoile ba ea mé agus cead comhrá agam. 'Cé hí an scibhí nua, a Chonallaigh?' Bhí an Conallach ramhar leisciúil agus ainm na caillí ráflaí air. Chuir sé nótaí beaga chun siúil ar fud an halla, é buíoch as an dualgas a chuireas air. Níorbh fhada gur thit píosa páipéir ar an gcrinlín romham. Gheit mo chroí nuair a léas draíocht a hainm: Pamela. Níor bhuaileas le haon Phamela riamh ach bhíodar tiubh sna leabhair; bhí Pamela i gcónaí ag buachan rásaí ar chapaillíní darbh ainm *Black Prince* ag *gymkhana* éigin agus, ar ndóigh, í gléasta i *jodhpurs*. Dúirt mé a hainm os íseal arís is arís eile, Pamela, is b'ionadh liom a chóire is a bhí na gutaí is na consain ag freagairt dá chéile, a éadromacht is a bhí na siollaí ar an teanga; bhí idir dhath is thathag san ainm – bhí liopaí fliucha air.

Shuíomar chun boird inár dtost sa phroinnteach. Rud maith ba ea an tost dar leis an Athair de Faoite mar cheap sé an ciúnas! Agus thug sé seans dúinn an léitheoireacht spioradálta a chloisint. Ba é an Fáilbheach, an maor sinsearach, a dhein an léamh, fear glic ón iarthar glic. Shuigh sé ar *rostrum* ard, cuma chraptha ar a ghuaillí faoi mar a bheadh sé ag glacadh fothana ó fhearthainn dhubh a pharóiste sceirdiúil. Dheineadh sé ríomhadh ar mhíorúiltí, ar bhainiseacha agus ar sheanmóirí le naofacht chráite. Ach cé go mb'fhéidir go rachadh sé le sagartóireacht fós, ní go rómhaith a rith an naofacht lena aghaidh dhearg ná lena fhriotal ramhar. D'fhaireamar go léir Pamela. Sheas sí ag bun an phroinntí, cruach aráin taobh thiar di, a súile agus a lámha ag sceitheadh ar an míchompord a bhraith sí i measc na bhfear. De réir mar a chuirtí lámha in airde thugadh sí bollóg chun na mbord sin, tost ag tuirlingt leis an arán, súile na mac léinn ag sceitheadh orthu go rabhadar gafa ag gorta eile nach sásófaí chomh furasta sin. Thug an Conallach sonc dom.

'Ambaist, ach is diamhair an t-earra í siúd; thachtfá do mháthair di. Ach bhí Shorty ina chodladh nuair a phioc sé í sin. Ní sheasóidh sí i bhfad anseo.'

Ar an Athair Shorte a bhí cúram lucht na cistine a fhostú. Deirtí go gcuardaíodh sé an dúiche go n-aimseodh sé an straoill ba ghránna a bhí ann. Ag leathadh aoiligh a bhí Philomena nuair a fuair sé í. B'éigean dó gabháil trí phortach chun Treasa a fhostú. Bhí lámha mar shluasaidí ar Threasa, iad corcra ó bheith ag ní na ngréithe, rudaí a bhainfeadh an dóchas go tapa de dhéagóirí deiliúsacha.

'Seo leat, Stack, bíodh babhta spóirt againn aisti. Cuir fios ar arán agus nuair a chromfaidh sí síos chífimid a bhfuil le feiscint.'

Deineadh grágaíl gháire thall is abhus chun cuidiú leis. Bhí dóthain aráin fágtha. D'éisteas le cráifeacht ramhar an Fháilbhigh agus d'aimsigh mo shúile Pamela arís. Chuireas mo lámh suas go mall. Tháinig sí faoi mo dhéin le bollóg. Bhíog sí nuair a d'aithin sí mé ach níor ligeamar faic orainn nuair a bhraitheamar lámha a chéile. Ach tharla rud éigin: bhí dul chun cinn ann. Chuireas an bhollóg os comhair an Chonallaigh.

'Ith anois é,' arsa mise.

Thit scáth an Fhaoitigh trasna an bhoird. Chonaiceamar a shúile sáite i gcúl an chailín agus í ag éalú uainn. Ní fhacthas arís sa phroinnteach í.

Is mó lá a chaitheas ag feitheamh léi sa suanlios, do mo bhearradh féin míle uair, mar dhea, nó ag socrú mo chófra, agus ar feadh na faide bhí a hainm ag gabháil trí m'aigne ina churfá. Tháinig sí lá agus gabháil de chlúdaigh piliúr aici; chrom sí ar a bheith á socrú. D'aithníos ar a haghaidh agus ar a hanáil go raibh an scéal á mheá aici. Chuas sall chuici, ní dúirt mé ach 'Pamela'. Chorraigh sin í. Bhí leithscéal de mhiongháire ar a béal a raibh idir náire agus thaitneamh tríd. Bhí gach aon fhéachaint ar an doras aici. Rugas ar lámh uirthi agus sheolas go tapa amach as an suanlios í. Bhí gach aon 'in ainm Dé' agus 'cad tá ar siúl agat?' aici, ach níor aontaigh an greim a bhí aici ar mo lámh le héirim a cainte. Ag bun an phasáiste d'osclaíos doras mór agus sheolas isteach í.

'Fáilte romhat go dtí an Ritz,' arsa mise.

Stop sí i mbéal an dorais, d'fhéach sí ar an Ritz agus ionadh uirthi. Bhí an áit nach mór pacáilte ó bhun go barr leis na céadta árthach leapa. Bhíodar ansin neadaithe ina chéile ag feitheamh leis an uair a mbeadh an scoil ar fad buailte síos le fliú. Thosaigh sí ag siotgháire faoi na potaí aisteacha seo a chruthaigh aisteacht an chine dhaonna. Gháireas léi mar bhris sé an teannas a bhí eadrainn. Rugas barróg fhíochmhar uirthi ach thosaigh sí ag gearán go gcaillfeadh sí a post dá dtiocfadh an sagart isteach. Chasas an eochair mhór throm sa ghlas. Bhaineas cnagadh as an miotal, rud a dhaingnigh sábháilteacht an Ritz. Bhí mairbhití orm le dúil inti, ach nuair a d'fháisceamar a chéile arís bhraitheas téagar úr mire chugam. Bhí tuairim agam go mbeadh an scéal furasta go leor ach ní raibh aon choinne agam leis an bhféile chollaí seo. Ar ball, nuair a bhí ár gcoirp nochtaithe ag treascairt a chéile agus ár ngéaga ag tuargan potaí leapa ghabhas mo bhuíochas le Dia as Pamela an Ritz.

Bhí an seomra ranga plúchta ag fiche sinsear, iad caite sna suíocháin ag éisteacht le guth tuamúil an Athar Uí Chathasaigh ag insint dúinn cé chomh hamhrasach agus a bhí sé faoi sheanscéalta rómánsaíochta na hÉireann. Sampla maith ba ea 'Tóraíocht Dhiarmada agus Gráinne' a bhí ar an gcúrsa Ardteistiméireachta. B'fhollas go raibh Diarmaid agus Gráinne ag luí le chéile, mar rug sí cúpla i gCaibidil a deich. 'Ach ní raibh siad pósta i láthair Dé' agus shín sé méar fúinn, méar a bhí chomh buí le scadán leasaithe.

'An raibh sé ina pheaca acu, a Athair?' arsa an Fáilbheach de ghuth naofa, agus a pheann á ainliú san aer chun an freagra a bhreacadh síos do shliocht a shleachta. D'oscail agus dhún an sagart a shúile amhail is go raibh sé ag iarraidh fócas a dhéanamh ar an gceist bhriogadánach seo.

'Tharlódh,' a dúirt sé, 'go mb'fhéidir go bhfuil an réiteach le fáil sa dlí canónta – níl mé cinnte, ach cé go mb'fhéidir nach raibh sé ina pheaca acu, caithfear a admháil go raibh a n-iompar peacúil.'

Chnead an Fáilbheach go mórchúiseach chun cur le gaois na breithe.

'Rud eile,' arsa an sagart, 'tá moráltacht an scéil lochtach i ngné eile leis, is é sin gur ar Dhiarmaid a thiteann an pionós. Sás cathaithe is ea an bhean i gcónaí, agus caithfidh sise díol as.'

Ghéill gach duine sa rang dósan. Bhí misneach ag an Athair Ó Cathasaigh anois agus lean sé leis: bhí sé cinnte nach mbeadh eachtra an chúpla ar an scrúdú mar le tríocha bliain dár saoirse stáit níor chuir an Roinn Oideachais riamh isteach ar mhoráltacht na hEaglaise. Ar an ábhar céanna, d'fhéadfaí mórán de *Medea* Euripides a ghearradh amach mar ba scannalach, gáirsiúil an t-earra é.

Bhí súsa ar urlár an Ritz. Níor ligeas faic orm. Bhíomar ag bualadh le chéile ann go rialta, gach tríú hoíche nach mór. Dúirt sí nach raibh sé furasta éalú ó cheathrú na gcailíní aimsire mar d'fhanadh bean an tí ina suí ar feadh na hoíche ag léamh *Girls' Crystal*. Bhí eagla uirthi roimh na pasáistí fada dorcha go dtí an Ritz, ach b'fhiú é tar éis an tsaoil agus d'fháisc sí mo lámh. D'iarras uirthi gan cumhrán a chaitheamh mar bhí sé láidir agus b'fhéidir go bhfaighfí an boladh uaim. Bhí cuma shuaite ar a súile ón airneán go léir agus mholas di gan teacht chomh rialta ach ní ghéillfeadh sí. Bhí árthach an duine againn mar shuíocháin, agus shuímis ar ár sástacht agus chaithimis a cuidsin *Sweet Afton*. Thugadh sí léi gearrthóga caoireola i naipcín – a raibh fágtha tar éis dinnéar na sagart, a dúirt sí.

D'fhág Pamela a rian orm ar an bpáirc imeartha.

'Sin é an tríú poc saor a chuiris amú, ceann as a chéile,' arsa an tAthair Mac Eoin de bhéic ón taobhlíne. I lár páirce a bhíos ach ordaíodh isteach sna tosaithe mé, agus ar deireadh isteach sa bháire.

'Luigh síos, luigh síos,' a bhéic Mac Eoin orm agus dhá mhéar á síneadh i dtreo an talaimh aige, nuair a cuireadh sliotar buile thar mo ghualainn isteach. B'éigean dom rud a dhéanamh air. Bhí Mac Eoin nach mór ag gol ag an taobhlíne. Dúirt mé leis go rabhas *run down*, gubh é an drochbhia faoi deara é. D'fhéach sé orm le súile séite cnúdáin.

'*Metatone* istoíche agus uibheacha amha ar maidin,' ar seisean faoi phaisean.

***

Lá dá rabhas sa tóir ar lucht tobac i gClós na Scibhí chonac í. Bhí sí ag ní gréithe, a haghaidh dearg ón ngal.

***

Thug sí léi málaí taifí, ispín Gearmánach, Swiss-rollaí seacláide go dtí an Ritz. D'itheamar sa dorchadas iad agus labhraíomar os íseal. Úmadóir ba ea a hathair sa bhaile mór; ba mhór an feall é go raibh na feirmeoirí go léir ag díol a gcuid capall is ag ceannach tarracóirí. Bhí an-spéis aici i mo chúlra féin. D'inis mé bréag di: go raibh m'athair ina iascaire bocht cois na farraige. D'fhreagair sí gur rud iontach é an bochtanas agus gur bhreá léi an fharraige, agus nárbh fholáir nó gur mhothaíos uaim go mór an t-iasc agus go dtabharfadh sí canna sairdíní léi an chéad oíche eile.

Ina dhiaidh sin, ar mo shlí ar ais go dtí mo shuanlios, bhuaileas leis an gConallach ag teacht ón leithreas. Baineadh geit asam agus shás an tóirse isteach sna súile air, agus d'fhiafraíos de an raibh sé ag caitheamh tobac. Shéid sé a anáil ghéar san aghaidh orm is d'imigh leis agus déistin ina shúile.

Bhí an tAthair Mac Ginneá i mbun Teagaisc Chríostaí. Dúirt sé go raibh sé san Afraic, fud a d'athraigh a shaol. Mhol sé dúinn go léir an turas a dhéanamh 'chun an solas a fheiscint'. Bhí allas maláire ar a éadan agus é ag déanamh anailíse ar an bpeaca marfach dúinn. Chuir sé trí mhéar in airde.

'Trí ní – níl le déanamh ach cuimhneamh ar thrí ní: ábhar tromchúiseach, láneolas agus lántoil.

An oíche sin agus sinn sa Ritz, bhí tríréad Mhic Ghinneá ag casadh i m'aigne; thíos fúm bhí an t-ábhar tromchúiseach agus a géaga timpeall orm a fhad agus a bhí an lántoil agus an láneolas ag imeacht le craobhacha.

Bhí séipéal an choláiste plúchta le boladh corp agus le túis altóra. Bhí an tAthair de Faoite ag tabhairt amach comaoine. Ghlac lucht comaoine a n-áit sa líne de réir ord suíochán. Nuair a tháinig mo shealsa d'fhanas ar mo ghlúine, mo phaidrín i mo lámh agam, siollaí gaoithe ag rince ar mo liopaí, mo chorp crapta ag fógairt staid m'anama. Ó am go chéile, d'fhéachadh an Faoiteach anuas orm agus ghlac ár súile comaoin a bhí i bhfad níos grinne ná comaoin an aráin shlim.

Níor bhraitheamar éinne amuigh go dtí gur oscail an doras agus gur spréadh solas cuisnithe ar an mbeirt againn. Gheit sí chomh mór sin gur dhein dealbh di ar feadh soicind; lean an solas ag lonradh ar a coirpín sceimhlithe ó cheathrú bhán go noitmigí a cíoch. Dúnadh an doras go haclaí. Is fada a bhíos á fáisceadh, ag iarraidh an scanradh a chur di. Thosaigh sí ag crith. B'éigean dom í a ghléasadh sa dorchadas agus í a sheoladh na pasáistí fada dubha go dtí ceathrú na gcailíní aimsire. Bhí sí ag gol is ag caint faoina post agus faoina hathair agus a méireanna ag dul go cnámh i mo lámh. Dheineas iarracht ar í a shásamh, á rá go mba shuáilce chríostúil é an maithiúnas, agus go mba shagairt iad.

'Cad a tharlóidh dúinn in aon chor?' ar sise ag smugaíl goil agus d'imigh sí uaim isteach trí dhorchadas na cistine.

Stop an tAthair Shorte mé ag doras an tséipéil tar éis Aifrinn. Lean an chuid eile a chéile amach, cráifeacht oiriúnach ar a n-aghaidh. Ní bheadh cead agam mo bhricfeasta a ithe ina dteannta, a dúirt sé; ina ionad sin, bheadh orm mo mhálaí a phacáil agus mo bhricfeasta a caitheamh i m'aonar, nuair a thosódh na ranganna.

Ghabhas tríd an slua a bhí ag filleadh ón bproinnteach, mo mhálaí agus m'fhéachaint ag gearradh tríothu. Bhraitheas idir scáth agus bhogás orthu; an chuid ba mheasa díobh dheineadar mo pheaca a bharradh le naofacht, an chuid ab fhearr, bhíodar trí chéile. Chonac an Fáilbheach ag gáire. A Chríost, dá bhfaighinnse siúd ar an taobh theas de mo chamán, ní bheadh dabht faoin sagartóireacht!

Tugadh anglais tae dom ag bun an phroinntí; tháinig scibhí mór amach ag féachaint orm, siotgháire ag cur a béil as a riocht. Tháinig a thuilleadh de chóip na cistine ag breathnú orm, gach duine acu níos gránna ná a chéile. Dá fheabhas a d'fhéachfainn tríd an ngal, pioc de Phamela ní fhéadfainn a fheiscint.

⤥ ⤦

Shuigh an tAthair Shorte agus an Faoiteach ag an mbord, pinn, pár agus uisce os a gcomhair. Bhí Shorte ag iniúchadh cúl a mhéireanna agus labhair sé go réidh leo.

'Tá sé i dtrioblóid anois; ó, sea, i dtrioblóid anois, murab ionann is riamh.'

'Ní rabhas riamh i dtrioblóid, níl "murab ionann is riamh" i gceist,' arsa mise.

'Ach tá tú anois.'

Ní dóigh liom go dtuigim ar fad cad atá á rá agat.'

'Tá sé seo scannalach, a Athair,' arsa an Faoiteach agus chuir sé na súile tríom.

Chuaigh béal an Athar Shorte an-chóngarach don gháire.

'Ní foláir nó go dtuigeann tú go maith cad 'na thaobh go bhfuil tú anseo; tá tú tar éis an mhoráltacht chríostúil a threascairt.'

'Conas san anois? Bain an ceann den scéal dom le bhur dtoil.'

Bhí an comhrá seo rótheibí dom.

'Is maith an bhail ortsa gur maor thú nó is baolach gur an loch amach ar fad a sheolfaí thú.'

'Eachtraigh dom conas a pheacaíos,' ach theip glan orm a leochaileacht a bhriseadh.

'Seo anois, Stack, is ábhar scoláireachta thú. Tá do shaol romhat; tig linn bheith bog.'

'Sea, agus ní bhfuair sibh scoláireacht le deich mbliana.'

Bhris ar an bhfoighne agam.

'Cé acu duine agaibh a lonraigh an solas?'

'Cad 'na thaobh?'

'Mar pé duine a dhein é bhain sé lán na súl as agus ní ormsa a bhí sé ag féachaint!'

Léim an tAthair Shorte suas, de phreab, a cheannaithe chomh séidte sin le fuil go raibh sé ag boirbeáil chun taom croí.

'Tá sé seo scannalach.' Bhí sé i riocht goil. 'Thar a bhfacaís riamh de mhasla!'

Rug an Faoiteach ar a ghuaillí ag iarraidh é a shásamh.

'Tóg t'aimsir, Jack; ní ligfear in aisce leis é.'

Thug sé aghaidh orm, coinnle ina shúile.

'Sea, a chladhaire, tá deireadh leat, clabhsúr, *finis*. Bí anseo ar 3.00 p.m. chun tú féin agus do ghiuirléidí a thabhairt go dtí an fásach as a dtángais chugainn an chéad lá riamh.'

Bhí scrabhadh bog ag titim, rud a chuir loinnir ar dhíonta luaidhe an bhaile mhóir. Stopas i mbéal an lána ag túr an chloig. Tithe póg, siopaí gréasaithe, botháin sclábhaithe. Bhí seanbhróga agus crainn chabáiste caite ar na leaca fliucha. Bhí sé an-dorcha i siopa an úmadóra mar a raibh firín beag a raibh croiméal liath air, ag obair le scian ar choiléar agus amaí. D'fhéach sé ar feadh i bhfad orm.

'Pamela!' a scread sé os ard go piachánach.

Tháinig sí amach go tapa, rian an ghoil ar a súile. Rug sí ar lámh orm is thóg amach ar an tsráid mé.

'Cad a dheineadar ort, Cornelius?'

Chonac misneach na máthar ina súile, bhí sí réidh chun a cuid a chosaint.

'An loch amach,' arsa mise.

Ní fhaca sa lá í ach uair amháin cheana; níor mheas mé gur fhéach sí chomh tarraingteach anois.

'Cad a dhéanfair féin?' a d'fhiafraíos di.

Thosaigh sí ag casadh cúinne a blúis go raibh sé ina shúgán aici nach mór.

'N'fheadar,' ar sise go himníoch, 'b'fhéidir go dtabharfaidh m'athair costas an bháid dom.'

Bhí nóta deich bpunt á fháisceadh i mo phóca agam.

Gheallamar go scríobhfaimis chun a chéile.

Tháinig m'athair faoi chruashiúl sa *landrover*, an tréiléir taobh thiar ag criathrú ghrean an chasáin.

'Ar bhuail sé an *job* uirthi, a Athair?'

'Gabhaim pardún agat?' Shuigh an tAthair Shorte ar an *chaise-longue* le díomá.

'Ar bhuailis an *job* uirthi, Coneen, a húirín?'

'Níor bhuail.'

''Bhfuil tú siúráilte?' Bhi boladh leamhnachta agus cac capaill uaidh.

'Tá.'

Thug sé aghaidh mhéith dhearg ar an mbeirt shagart.

'Dhera, cad faoi deara an fústar go léir, más ea?'

Bhí súile an Fhaoitigh ar sceana le nimh.

'Tá ceist *rusticatio* anseo, a dhuine,' ar seisean chomh réidh agus a d'fhéadfadh sé.

'A Íosa Críost, cad é sin?' arsa m'athair agus ba dhóigh leat air gur mheas sé gur saghas *gonorrhoea* nua a bhí ann. Bhí masmas ar an mbeirt eile.

'Díbirt shealadach,' arsa mise.

'An féidir leis teacht ar ais?'

'Is féidir,' arsa mise, rud a chuir clabhsúr ar an gcomhrá.

Agus sinn ag gabháil suas tríd an mbaile mór, thosaigh m'athair ag scairteadh gáire.

'Chuireas Ulick ag obair duit. Sin é an leaid dóibh. Suas go Maigh Nuad, a mhic. Chuir sé tine lena dtóin.' D'fhéach sé go míchéatach orm.

''Bhfuil tú ag éisteacht liom in aon chor?'

Dúirt mé go rabhas buíoch de m'uncail, an Monsignor.

Chuamar isteach i bpub i lár an bhaile. A fhad is a bhí sé ag iarraidh suí ar an stól ard, d'fhiafraigh sé díom –

'Cérbh iad an bheirt easóg sa Choláiste thuas?'

'Shorte agus de Faoite'

'Cad as dóibh?'

'Cúl a' Tiompáin.'

'D'anam 'on diabhal, nach in é a mheasas leis,' ar seisean go buacach. 'Abhaic ó Chúl a' Tiompáin. Faic le n-ithe. Gabhair agus poill mhóna. Ambaist, ach fíor-dhrochbhliain do phrátaí a bhí ann an uair a chuaigh an bheirt earra sin isteach.'

D'fhiafraigh sé díom cad a bheadh agam le n-ól.

'Pionta pórtair.'

Ba bheag nár thit sé den stól.

'Pionta pórtair,' arsa mise gan géilleadh.

Bhagair sé ar bhean an leanna. Nuair a bhí sé leathólta agam chuaigh sé sna trithí gáire.

'Bhuel, dar so is súd, ach is mór an rógaire thú.'

Ghlaoigh sé ar chailín an leanna.

'Is mór an rógaire é seo.' D'oscail sé mo léine. 'Féach air sin de chlúmh. An rud is túisce a chuireann cluain ar bhean ná clúmh.'

Dúirt an cailín go raibh an t-ádh orm as méid mo chlúimh mar go raibh mórán fear a bhí chomh lom le croí a dearnan, agus d'oscail sí a lámh don tábhairne go léir.

Bhí deoch eile againn, m'athair ag gáire gach uair a chonaic sé an pórtar romham amach. Cad é an draíocht atá i bpionta a athraíonn caidreamh? Dhruid sé suas liom agus thug sé súile pháirtí orm.

'Cogar, a mhic na páirte, an raibh aon mhaitheas inti?'

Bhí sé ag sméideadh le náire orm, a gháire ag iarraidh an fhiosracht a bhrú siar. D'fhéach mé air.

'Bhí gabhal chomh rua le sionnach uirthi, agus is í a bhí scafa chuige.' Don dara huair, ba dhóbair dó titim den suíochán.

Dhún san a bhéal dó. Tháinig féachaint dhóite air. D'fhéach sé in imigéin, uisce lena bhéal. Ansin dúirt sé leis féin os iseal: 'Rua.'

Go tobann chas sé orm.

'Bhí scibhí thíos i mBaile an Bhuinneánaigh tráth agus geallaimse duit go raibh na háraistí bainne go maith aici. Bhí an paróiste curtha le gealaigh aici í féin agus a cíocha. Bíonn cíocha móra ar scibhí i gcónaí.'

D'fhéach sé orm féachaint conas a ghlac mé leis sin. Bhíos ag cuimhneamh uirthi féin agus a cíocha chomh néata le noitmigí in aer fionnuar an Ritz. Bhraitheas an nóta deich bpunt le mo lámh. Bhraitheas easnamh deoranta ag gabháil lastuas díom.

D'imíomar linn an bóthar abhaile agus thrácht m'athair ar chúrsaí na feirme. Dar leis, bhí nótaí púint ag fás go tiubh i ngach aon chuid de na 340 acra 'agus gan pingin amháin cánach le díol'. B'iontach an gaisce a d'fhéadfadh feirmeoir a bhí pósta le bunmhúinteoir a dhéanamh, mar nár dhíol sise aon cháin ach an oiread. Ach b'éigean do na sclábhaithe cáin a dhíol. B'fhiú a n-aghaidh a fheiscint gach tráthnóna Déardaoin. Sea, rófhada a bhí feirmeoirí faoi chois; anois bhíodar ag teacht faoi réim arís. Neamh d'fheirmeoirí ba ea Éire agus bhí deontas le fáil ach do mhún a scaoileadh.

Stopamar ag teorainn an chontae, chun deoch eile a ól. Cheannaigh m'athair gamhain rua ó fhirín gioblach s chlós, agus chuireamar sa tréiléir é.

'Don reoiteoir,' arsa m'athair. 'Suicín ar sé scilling déag!'

Ba bhreá an tír í, is é a bhí go sásta.

Nuair a bhuailimis le trácht ar an mbóthar nó ag casadh na gcor dúinn, leagtaí an gamhain sa tréiléir. Uair amháin, nuair a stopamar go tobann, ba bheag nár tiomáineadh amach trí na ráillí é. D'éisteas leis ag titim is ag éirí, d'éisteas leis ag géimneach le scéin.

'Dhera, tá sé siúd go breá socair,' arsa m'athair, an ghairbhe úd ar a ghuth arb ionann é is fearúlacht faoin tuath.

De réir mar a chuamar ar aghaidh bhraitheas eagla an tsuicín ag cur isteach orm ar shlí ar deacair é a mhíniú.

'Stop an gluaisteán.'

Bhí díomá ar m'athair. B'éigean dom é a rá arís. Stop sé an gluaisteán go mall ar cholbha an bhóthair. Cheanglaíos an gamhain le téada. Chuireas ceann amháin timpeall a mhuiníl. Ansin, cheapas go mbeadh sé róthéann; bhaineas díom mo chasóg agus chuireas taobh istigh de théad í. Ar feadh na faide, bhí m'athair i riocht pléasctha le straidhn.

'In ainm Dé, an as do mheabhair ataoi? Do chasóg mhaith timpeall an ghamhna?.

D'fhéachas i mo Sheán dóite air agus dúirt go ndéanfadh sé cosaint ar an bhfeoil don reoiteoir.

Leanamar ar aghaidh inár dtost. Bhíos ar buile liom féin go rabhas chomh bog sin le hainmhí.

'An-phlean go deo ba ea é sin leis an gcasóg, Coneen, ní chuimhneoinn féin go deo air. Dála an scéil, tá dhá dhosaen lacha sa reoiteoir agam, cheannaíos ó bhaintreach Thaidhgín Breshnihan iad. An raibh a fhios agat gur éag Taidhgín? An deoch. Cé mhéad a thugas orthu? Seo leat, buille faoi thuairim.'

'Deich scilling an lacha!'

'Ní hea, ach tá tú ag réiteach chuige,' ar seisean agus sceitimíní air.

'Dhá scilling an lacha?'

'Dhera, fuil is gráin ort, cé a thabharfadh lacha duit ar dhá scilling?' ar seisean de gheoin, amhail is gur fealladh air. 'Ach níl tú i bhfad amach uaidh. Ceithre scilling is dhá phingin – cuimhnigh air sin anois.'

Sea, ba bhreá an tír í nuair a gheofá rudaí gan faic.

Tar éis tamaill, d'fhiafraigh sé díom an bhfaighinn an scoláireacht. Dúirt mé go bhfaighinn ach nach raibh aon tsuim agam ann.

'Dhera, tá an ceart ar fad agat. An iomarca eolais atá agat. Is dócha go gcuirfeá Maths agus Laidin agus rudaí mar sin go tóin circe anois?'

'Chuirfinn.'

Dúirt sé go raibh Máire Ní Chíosáin, ár gcomharsa bhéal dorais, ag déanamh go maith i gCarysfort, is gur gearr go mbeadh críochnaithe aici ann.

'Agus nach deas an rud é go bhfuil sibh chomh mór sin le chéile?'

Bhíos tar éis í a thabhairt ar rince foirmeálta tráth. Chaith sí an oíche ag insint dom go gcaithfeadh sí dul isteach sna flaithis chomh luath is a gheobhadh sí bás, mar go raibh an scaball donn á chaitheamh aici agus na Naoi nAoine déanta aici faoi dhó. Ach an rud nár luaigh m'athair fúithi ná go raibh 285 acra aici teorantach linne agus go mbíodh sí i gcónaí ag cur allais.

'Coneen, a chroí,' arsa seisean, 'ní fearra duit rud a dhéanfá ná cuimhneamh ar Mháire. Má dheineann sibh aon socrú, bíodh an áit ar fad agaibh.'

D'fháisc sé geallúint asam go gcuimhneoinn uirthi agus rith na deora leis.

'Sea, más ea,' ar seisean, 'is é atá romhainn ná sodar breá bog go Cluain Uí Eachaigh.' B'in é an guí áitiúil ar shaol sona mar ba é Cluain Uí Eachaigh reilig an pharóiste. Mheasas go raibh snáithín mo bheatha á thochras isteach siúráilte. Bhraitheas an gamhain taobh thiar; bhí an bheirt againn ag déanamh ar Chluain Uí Eachaigh.

Bhí mo mháthair séidte buí inti féin ó bheith ag gáinneáil leis an *Aga*. Eibhlín ab ainm di ach níor chuala riamh á thabhairt uirthi sa teach ach 'Haigh'. Sheas sí in aice an *Aga* anois, mairbhití ina súile.

'Cad a dhein sí ort, a bhuachaill?' ar sise de ghlór cráite.

D'inis m'athair di gur chuas ceangailte le straoill gan rath, ach gur shaoraigh Dia is a Mháthair Bheannaithe mé agus go bhfuair sí a raibh tuillte aici.

D'itheas mo lacha i mo thost, ach lean sé do mo cheistiú.

'Cad a dhein sí ort, a stór?'

D'inis m'athair di go raibh am breá romhainn go léir agus d'éalaigh sé amach go Tigh Kirby. Nuair a bhíos ag gabháil suas an staighre dúirt mo mháthair liom gníomh croíbhrú a dhéanamh – 'an ceann fada' – agus go mbeadh faoistin ar siúl amárach.

Bhí na braillíní fuar is mé i mo luí. Bhí na fallaí clúdaithe le pictiúir naofa, a gcuid dathanna chomh fiáin leis an bpáipéar falla: Naomh Treasa agus cailís ina lámh aici, Pádraig ag satailt ar nathracha nimhe. Dhúnas mo shúile ach néal ní thitfeadh orm. Chuimhníos ar m'athair i dTigh Kirby ag insint éithigh faoi mhná na gcíoch mór do scata fear a raibh lachain is gamhna acu ná féadfaidís tabhairt dóibh. Chuimhníos ar chnámha cailce mo mháthar á dtriomú os cionn an *Aga*; chuimhníos ar an sodar go Cluain Uí Eachaigh.

Triúrmhilleadh

Stop sí ag doras an Golf GTi, an ionga dhaite ar an eochair agus
d'fhéach sí timpeall ar an áit – na claíocha máguaird ag rith ó
fhaiche bhearrtha go faiche bhearrtha – agus bladhm bhándearg
na gcrann silíní ag urú ghalántacht na dtithe laistiar. Bhí an
mhaidin nach mór caite agus d'éist sí le ceol na n-éan agus
thuig sí gur cumadh an ceol sin i gcomhair na comharsanachta
seo amháin. In aon áit eile bheadh sé as gléas. D'fhéach sí ar
ghlanachar na bhfuinneog *bay* taobh léi – ní raibh ach ainm
amháin ar an nglanachar sin, Carraig an tSionnaigh! Thuig gach
rud an téama galánta seo ach na scamaill a raid scáthanna nós-
cuma-liom leis na simnéithe. Ar chuma éigin thuig sí gur dise
amháin a bhí an féar ag glasadh. In ainneoin an amhrais. Mar
nach raibh sí sé bliana is tríocha? Agus an fiántas ag tréigean a
croí.

Thug an golf amach ar bhóthar mór Stigh Lorcáin í, gur
neadaigh isteach in imeall an tráchta. Shocraigh dordán na gcarr
a haigne d'aoibhneas na maidine is don sceideal a bhí roimpi
an lá sin. Faic, dáiríre. Ó, an litir le seachadadh i Sráid Bhagóid
chuig cuntasóir Roger, a fear céile. Ghabh freang tríthi nuair a
chuimhnigh sí ar na bréaga a bhí sa cháipéis úd. Is mairg don
té a bheadh macánta in Éirinn, níorbh fhada go gcuirfí le falla
é. Agus cén fhaid a sheasfadh comhlacht Roger, allmhaireoirí
earraí leathair? An chiontacht faoi deara di a cos a bhrú síos
agus an carr a chur ag preabadh ar aghaidh. Ní raibh sí chun
ligean d'aon drochsmaoineamh cur as don ... Mar Dé hAoine a
bhí ann, sea, ár ndlúth-Aoine dhil, a fhógraíonn buille déanach

na seachtaine is do sheansanna ina dhiaidh sin. Bean ba ea an Aoine, is ea, bandia na hainmheasarthachta; muc ag screadaíl faoi gheata a bhí sa Luan.

Stop soilse Dhroichead na Dothra í. Sea, rachadh sí go Superquinn ar an gCarraig Dhubh i ndiaidh an chuntasóra chun an *fillet* a cheannach don *Beef Wellington*. Bhí sé daor ach bhí sé fuirist é a ullmhú. Bhí an fíon faighte cheana féin aici, dearg trom géar do Werner, dearg cneasta do Christa, a bhean. Bhí an bheirt acu chucu anocht i gcomhair an dinnéir, iad in Éirinn ar ghnó leathair. Ba chuma léi féin faoin bhfíon mar go raibh a fhios aici go gcuirfeadh sí bearna sa Remy Martin i ndiaidh an bhéile, i dteannta Roger. Rinne sé miongháire nuair a chuimhnigh sí ar an tógáil chroí a thabharfadh an branda di. An raibh baol ann go raibh sí ag éirí rócheanúil air? Fastaím! Ní raibh ná baol air, ní raibh ann ach cúpla deoch.

Bus briste ar Bhóthar Northumberland, an tranglam ag éalú thairis. Thosaigh a méara ag seinnt ar an roth. D'fhéach sí ar na hingne daite ag damhsa – dubh dearg, dathanna a d'oir dá pearsa, mheas sí. Cé acu gné? Ó, n'fheadar.

D'fhéach sí sa scáthán ar an ngruaig a bhí ar dhath an fhéich, an béal, is na súile ag teacht leis dá réir. Bhí sí an-tógtha lena haghaidh, go mór mór lena súile, ní hea, ní hea, lena béal, sea, a béal, nach raibh sé ráite ag daoine go raibh béal Jane Fonda aici? An liopa uachtair ina stua sa chaoi go raibh an béal pas beag ar oscailt i gcónaí, nó na liopaí scartha, ó bhí sé gnéasach, dar le daoine, mise á rá leat. Chuir sí gothaí póige uirthi féin is scrúdaigh sí an toradh sa scáthán.

Go tobann ba bheag nár tógadh den suíochán í leis an nglam adhairce a scaoileadh laistiar di. Phreab sí as slí an leoraí go tapaidh is d'éalaigh léi. Is ea, thug Roger gean mór don bhéal sin. Ní hamháin gur thug sé gean dá béal, bhí an chuid eile di ann, bhí gan amhras. Chuir an smaoineamh sin í ag cuimhneamh ar an ngúna a bhí aici i gcomhair na hócáide anocht, a éadroime a bhí sé, na cuair, a bhoige, a theannas ar a ceathrúna, a fhairsinge ina com, scaoilteacht ina brollach, féile ina muineál. Chosain sé €980 i mBrown Thomas. Agus nuair a d'inis sí do Roger é, níor bhéic sé. Dúirt sé gurbh fhiú é agus gur chuid dá phlean é. Ba é plean é ná gabháil lastuas de gach éinne i ngustal. Bhí cuid den phlean tugtha i gcrích cheana féin aige, an luamh, an gnó, an BMW, an bhallraíocht i ngach club gradamúil sa chathair. Ba é a shoiscéal ná nach raibh ag duine tar éis an tsaoil, ach a raibh aige de nithe. Sea, nithe! Agus ní raibh sé chun ligean d'aon rud cur isteach ar an bplean sin.

Agus cad a chaithfeadh Christa anocht? Sióg ba ea Christa a d'fhéadfadh síoda a dhéanamh de chótaí *Jack the Tayman* ach iad a chaitheamh. An uair dheireanach san Iodáil dóibh ba gheall le fógra do Gucci í. Ach, ambaist, dhíolfadh gúna Brown Thomas an comhar léi anocht. Ach ní thabharfadh na fir faoi deara é. Ach thabharfadh Christa. Mo ghraidhin iad na mná, ar sise os íseal. Tar éis cúpla soicind – agus mo ghraidhin iad na fir chomh maith.

Bhog an trácht chun siúil is thug sé isteach go Sráid an Mhóta
í, ansin suas agus pháirceáil in aice an Pepper Cannister. Thug
sí léi an clúdach is bhain Sráid Bhagóid amach. Cheana féin bhí
lucht na n-oifigí ag brú amach ar an tsráid i gcomhair lóin, idir
chailíní is fir; saoirse, ocras is aoibhneas ina bhféachaint. Bhí an
mheanma seo tógálach mar bhraith sí lúth thar an gcoitiantacht
ina coisíocht, an mheanma úd nuair a bhéarfadh sé ort a
bhainfeadh cúig bliana de d'anam. B'in é an uair a ghreamaigh
a bróg chlé i ngriolla iarainn sa chosán. Bróga nua ba ea iad a
bhí á gcaitheamh aici chun go dtabharfadh na cosa abhaile iad i
gcomhair na hoíche anocht. D'éirigh léi an tsáil a scaoileadh gan
aon mháchail a chur air. B'in é an uair a thug sí an duine thíos
fúithi faoi deara, hata buí innealtóra air, é ag obair ar phíobáin
de shórt éigin. D'fhéach sé suas uirthi is chonaic sí an aghaidh.
Ní raibh ann ach soicind ach ba leor é, mar d'éalaigh sí léi go
tapaidh, gach anáil á tarraingt go réidh aici chun ná tachtfadh
sí í féin.

Tar éis an clúdach a sheachadadh stop sí ag bun na gcéimeanna
agus dhein sí slógadh ar a raibh de mheabhair aici nó d'imeodh
sé ó smacht. Ní fhéadfadh an ceart a bheith aici, b'in seacht
mbliana déag ó shin. Ach bhí an ceart aici – mar go n-aithneodh
sí an aghaidh sin beirthe i bpraisigh.

Ghluais sí ar ais go mall go dtí an griolla, í idir dhá chomhairle.
Bhí leoithne the tríd an ngriolla aníos agus d'ardaigh sé a
sciorta óna glúine amach. Seans gurbh é scáth an sciorta a
bhí ag bogadh taobh leis a chonaic sé, mar thóg sé a cheann

is d'fhéach sé suas uirthi. Ghliúc sé i gcoinne na gréine, ansin chuir sé a bhos os cionn a radhairc. Stán sé uirthi. Stánadar ar a chéile. Chuardaigh sí a cheannaithe ag iarraidh na seanchúinní a aimsiú. Is é a bhí ann.

'Haló!' ar seisean. Guth clúmhach, *furry* tobacúil. Is é a bhí aici. Bhí sí sásta mar anois ní bheadh sí ciaptha ag an amhras. 'Sea, ta an '*mission*' i gcrích, bailigh leat.'

Ach ní ghéilleann fiosracht don loighic.

'Ní hé do mhalairt atá ann?'

'Tá aithne agat orm?'

'Tá, Giorgio.' Dhruid sé na malaí *eyebrows* le chéile is ghliúc sé arís uirthi.

'Tá an buntáiste agat orm, a chailín, mar is cinnte nár bhuaileas riamh leat. Ní dhearmadfainn aghaidh mar sin.'

An moladh é seo? D'fhéadfadh gurb ea. Is minic bean níos áille sna tríochaidí ná ag a fiche - sea, athraíonn na mná, eisean chomh maith; cén aois a bheadh sé anois, daichead a naoi?

'An bhfuil tú cinnte nach n-aithníonn tú mé. Féach mar seo orm,' is thaispeáin sí a *profile* dó. Súgradh an chait a bhí ar siúl aici. Chroith sé a cheann. 'Fiú amháin, mo ghuth, Giorgio, nach cuimhin leat mo ghuth agus tuin an Chláir air? Ciao, Georgio! Ní cuimhin?' Bhí an fear thíos ag baint taitnimh as seo chomh maith. 'Fan go fóill, más ea, a Giorgio,' agus dhein sí a haghaidh a fhrámú lena cuid gruaige, 'mar seo a bhí mo chuid gruaige an t-am úd.' Ní raibh ann ach súgradh a raibh blaisín den dáiríre air.

'An gcaitheann tú na Camels i gcónaí?' Bhain seo smuta den ghreann de, mar thóg sé paicéad Camels as póca a bhrollaigh is las ceann. Choimeád sé an deatach ina scamhóga fad a dhein sé an scéal a mheas.

'Cé thusa?' Scaird sé an deatach tanaithe ina treo, agus ansin dhá dhubhán deataigh as a pholláirí á thionlacan. Rud a bhí gnéasach go maith. Mar sin féin bhí Giorgio dulta in aois agus ní raibh cuma na maitheasa in aon chor air. Scrúdaigh sí a chuid éadaigh, na lámha, an aghaidh a bhí faighte fiáin, méirscreach. Bhí cuma sceirdiúil tagtha air. I gcoinne a tola bhraith sí trua dó. Tar éis an tsaoil níor chreid sí riamh i ndíoltas agus an rud seo a bhí eatarthu nach fadó riamh a thit sé amach.

'Ar scríobh tú na drámaí úd?'

Chaith sé tamall ag féachaint uirthi, na malaí druidte le chéile le teann machnaimh. D'aithnigh sí ar an gceisteacht nach raibh tuairim aige – bhí an oiread sin bréag inste do chailíní aige. Go tobann – inspioráid!

'A, drámaí! Sea, tá an ceart agat, drámaí, cinnte. Scríobhas drámaí, ó dhe gan amhras, drámaí!'

Scrúdaigh sí a aghaidh. 'Sea, agus ar léiríodh na drámaí seo?'

'Sea, léiríodh, ach níor léiríodh sa Róimh iad. An dtuigeann tú, tá mo chuid oibre trialach. Dá bhrí sin is iad na hamharclanna trialacha amháin a thógann iad, á, á, Campobasso, Avellina, Beneventa ....' Ba bheag nár chuaigh a ghuth in éag ar fad ag deireadh an liosta.

'Sea agus Gloccamorra' – ar sise. Ní fhéadfadh sí í féin a stopadh. Chroith sí a ceann ar an ngriolla. 'Agus anseo?'

D'fhéach sé timpeall ag lorg leathscéil a dhéanfadh cosaint ar a móráil. 'Eispéireas! Táim anseo i gcomhair eispéiris!' Gháir sé go buacach. Tháinig oibrí eile isteach faoin ngriolla.

'Giorgio, cá bhfuil an *fuckin'* rínse a thugas duit ó chianaibh? Nach bhfuil an píobán táite fós agat?' agus d'imigh sé arís. Gháir Giorgio.

'Baineann míbhuntáistí áirithe le heispéireas uaireanta.' Gháir sé arís. 'Cén t-ainm atá ort?'

Bhí sí ar tí imeacht ach bhí sí meallta ag an scéal faoin ngriolla. 'Joan. Joan Mulchinock. Ní bheifeá sásta gan 'a' a chur leis agus Joana a dhéanamh de.'

'A! Deinim é sin le hainmneacha ban go rialta.' Go rialta! Eileena, Caitlina, Brigida, Siobhána. Bhí an ghráin úd ag teacht chuici arís, gráin a bhí folaithe le seacht mbliana déag. An t-eagla a bhí uirthi ná go mbrisfeadh an ghráin an chréacht. Cá mbeadh sí ansin? Dhún sí na súile chun nach gcuimhneodh sí air. Níor oscail sí arís iad gur bhraith sí an séideán te ar na glúine. Bhí a gúna ina sheol agus ba chneasta é an teas ar a ceathrúna. Chonaic an fear thíos é freisin agus ghreamaigh an fhéachaint ar na glúine is as sin suas – spléachadh mear ar mhása blasta bándearga ag síneadh suas go lása uaithne na buaice. Bhraith sí a shúile mar oighear ar snámh ar a craiceann. A shúile ar aon rithim le titim is éirí a sciorta. Ach fós níor chúlaigh sí rud nár thuig sí. Chonaic sí airc na súl, é ag fliuchadh a bhéil, ag féachaint ina thimpeall mar a bheadh muc ar tí na prátaí a chreachadh. Mura bhfliuchann sé an béal arís cuirfidh mé cúig phunt i mbosca na mbocht. Níor fhliuch. Dhein sé rud ní ba mheasa.

'Joan? Féach ós rud é go bhfuil aithne againn ar a chéile, nár cheart dúinn an scéal a chomóradh – is é sin bualadh le chéile – níos déanaí - b'fhéidir?' A leithéid d'éadan, bhí sé chun é a dhéanamh arís, í a dhearmad an dara huair.

'Tá a fhios agat, tá cónaí orm, sa chomharsanacht, tá – a – árasán agam.'

Árasán! Seomraín faoin slinn nó thíos faoin tsráid, boladh *curry* ar fud an bhaill, boladh fuar éadaí gan ní, dorcha, gan teas, *print* amháin le Picasso – cultúr. Buidéal Chianti agus coinneal sáite ann – atmaisféar. Buidéil fholmha Volpolicella, leabhair ar 'Conas drámaí a scríobh' agus 'Gearrchúrsa Fealsúnachta'. An ceann deireanach ina *aphrodisiac* do chailíní óga, mo léir! Agus an *piece de résistance*, an leaba sa chúinne, braillíní in aimhréidh, an aimhréidh úd a thógann beirt chun é a dhéanamh, boladh a hallais fós ag meascadh le lán an luaithreádáin de ~~Camels~~. [an ashtray full of Camels]

'Níl sé ach timpeall an chúinne.'

D'fhéach sí ar an aghaidh, sea, bhí cúig phunt spáráilte aici. B'ait léi anois mar a bhraith sí mar bhí maite aici dó na blianta ó shin, ach ar chuma éigin chuir an craos a sheas anois ar a shúile ar maitheadh dó ar ceal. Díreach agus í ar tí a cúl thabhairt leis phrioc an nimh í. Chuir sí liú gáire aisti.

'Giorgio, an bhfuil a fhios agat go rabhamar le chéile ar feadh seachtaine, beagnach gach oíche den tseachtain, an cuimhin leat?' Ba dheacair dó an cheist seo a láimhseáil agus idirbheartaíocht aclaí ar siúl aige, b'fhéidir nárbh fhearrde é an fhírinne.

'Sea, sea, is cuimhin liom anois, sea, táim beagnach cinnte.'

'Agus a Giorgio, an cuimhin leat go rabhas éirithe simplí, bhíos chomh mór sin i ngrá leat?' Rinne mé machnamh air seo. Dar leis, tharlódh a leithéid.

'Sea, is cuimhin liom go maith.'

'Agus an cuimhin leat gur fhágais go tobann mé, gan choinne ar an seachtú lá?'

D'fhéach sé go cliathánach uirthi, iarracht den chosaint ar a aghaidh. Níor thaitin an casadh seo leis. Níor fhreagair sé.

'B'fhéidir,' ar sise, 'gur tharla tubaiste éigin i do shaol – do Mhama? Na drámaí? Leath sé na lámha ó chéile.

'Tharlódh gur rud mar sin a tharla. Ní nós liom rud mar sin a dhéanamh.'

'Tuigim sin, a Giorgio, tá tú dílis. Bhuel, is cuma. An raibh a fhios agat gur chaitheas mí i m'óinseach ag sodar ar fud na cathrach ag fiafraí, "gabh mo leithscéal, ach an bhfuil aithne agat ar Giorgio Santini?" "Cé hé?" "Giorgio Santini!"'

Níor dhein sé ach searradh a bhaint as na guaillí.

. casadh sa scéal.

'Agus an raibh a fhios agat, a Giorgio, go bhfuaireas amach tamall gairid ina dhiaidh gur fhágais ag iompar do linbh mé?' *you left me pregnant.*

Bhain seo siar as. D'imigh an airc as na súile. An raibh an scéal ag dul ina choinne? Bhuail sé a lámh faoina smig is d'fhéach sé go cliathánach uirthi.

'An bhfuil tú cinnte – ní –ní nós liom é sin a dhéanamh.'

Is ar éigean a bhrúigh sí an gáire fúithi, nuair a chuala sí an 'ní nós liom'.

'Ó, gabh mo leithscéal, a Giorgio, táim ag cur as duit, ná bí buartha – tharlódh sé d'easpag, níl aon mhilleán ort.'

Chuir sé seo cruth ar an scéal. Bhí an ceart aici, ní raibh aon mhilleán air – nach rud nádúrtha é.

'Sea, cad a tharla?' ar seisean.

'B'éigean dom dul go Londain, eagla a bhí orm go bhfaighfí amach mar gheall orm anseo. B'in é an chuid ba mheasa den scéal, an feitheamh fada thall ar chosa laga, sheasfainn é sin, ach an ghualainn mhaol, chuir sin síos mé.'

Bhuail sé a cheann faoi, bhí a thuilleadh drochscéala á chloisint aige, a bheol íochtair ina liobair le míchéatacht. Thóg sé a cheann is labhair sé go borb.

'Sea, bain an ceann den scéal, chuais go Londain, fuairis ginmhilleadh, tá sé thart, cad é an gearán atá agat?'

[handwritten: abortion.]

Thit uirlis as a lámh, chrom sé is thóg sé arís é, chas sé uaithi is thosaigh sé ag obair ar na píobáin. Thuig an bhean go raibh deireadh leis an gcomhrá; ach ní shásódh sin an nimh, ní shásodh in aon chor.

'Níor mhilleas é!'

[handwritten: I didn't have an abortion]

Thóg an fear a cheann arís. Leis sin shéid an leoithne suas tríd an ngriolla is d'ardaigh an gúna athuair. D'fhás a spéis inti, lasadh na soilse ina shúile, tháinig bogadh ar a bhéal. Thuig sí anois go raibh Dia ann.

'Saolaíodh do leanbh!'

Ní raibh coinne aige leis seo ach bhí a dhóthain drochscéala cloiste aige.

'Sea, chuiris do leanbh amach ar altramas, cad mar gheall air?'

[handwritten: you sent him out to be adopted, so what?]

D'fhás tost eatarthu a raibh colg air.

'Níor ligeas ar altramas é. Thógas féin é.'

[handwritten: I raised him myself.]

Bhíog sé, ansin d'fhéach sé síos ar an talamh fad a dhein sé an píosa eolais seo a mheas. D'aithin an bhean na gothaí seo – bhraith sé teanntaithe.

'Dhera, ná bíodh ceist ort, ní gá duit aon bhuaireamh a bheith ort. Nílim ag lorg aon rud ort. Nach bhfuil a fhios agat go bhfuilimse saibhir, teach mór agam i Ráth Garbh. Mé féin agus

Seoirse an-chompordach le chéile.'

'Seoirse?'

'Sea, Seoirse! Sin í an Ghaeilge ar Giorgio.'

Chaith sé tamall ag cuimhneamh ar an eolas seo – í saibhir neamhspleách, a háit féin aici, a mhac aici, Giorgio mar ainm air. Thóg sé a cheann. Chonaic sí an t-iontas ar a shúile. Bhí sé faoi smacht arís aici.

'Go raibh maith agat, táim faoi chomaoin agat as Sé-ór-sé a thabhairt air.'

'Tá fáilte romhat.'

'Bhfuil sé – mór? Ard?'

'Ó tá sé ard, an-ard do pháiste sé bliana déag.'

'An bhfuil dealramh aige leatsa?'

'Níl, ní leanann sé mise in aon chor – is Santini amach is amach é – níl aon oidhre ort ach é.'

Bhí sé chomh sásta leis seo gur leag sé uaidh an píobán is thóg Camel amach is las é.

'An bhfuil a fhios agat, a Joan, gurb é seo an scéal is fearr a chuala riamh. Mac agam, Giorgio mar ainm air, dealramh aige liom, agus é ina steillebheatha anseo i mBaile Átha Cliath. Thar a bhfaca tú riamh. Agus máthair den scoth aige. Nach air atá an t-ádh. An dtuigeann tú Joan, níor phósas riamh.' D'fhéach

sé ina thimpeall. 'Níor oibrigh cúrsaí amach mar a cheapas.'
Díreach ag an nóiméad sin tháinig an t-oibrí eile isteach.

'A Íosa Críost, a Giorgio, tóg an píobán i do lámh arís. Tá an oíle ar fad ag rith isteach chugainne. An lá á chur amú agat le mná mar is gnáth.'

Nuair a bhí sé imithe lig Giorgio sceamh as, chaith sé seilí focal leis an bpíobán.

'Daoscar is gramaisc is grathain na láibe, is scríbhneoir mé, is péintéir mé, is ceoltóir mé, ach bíonn orm mo shaol a chaitheamh leo seo.'

'An bhfuil sé dian?'

Bhain sé tamall sular thug sé freagra uirthi. 'An geimhreadh is measa.' Tháinig cuma ghruama air.

'Ná bac,' ar sise, 'cuimhnigh ar do mhac.'

Bhíog sé arís, ghluais gathanna solais as a shúile. 'Tá an ceart ar fad agat. An bhfuil sé ealaíonta ar mo nós féin?'

'Ealaíonta? Dhera, lig dhom, a Giorgio, nár bhuaigh sé Duais Texaco "Óg-Ealaíontóir na Bliana" anuraidh!'

'Ar dhein? Féach air sin, Giorgio, péintéir, cosúil le do dhaid. An bhfuil ceol aige. Níl?'

'Ceol. An bhfuil tú ag magadh fúm? Nach *prodigy* é? Nár cheannaíos pianó speisialta dó – Steinberg, Steinman.'

'Sea, Steinway'

'Dochreidte, tá sé seo dochreidte, an bhfuil a fhios agat, mo mhacsa ina phéintéir, ina cheoltóir, é ina chónaí i bpálás. Cé a déarfadh é. Ach, ach, tá tú pósta, nach bhfuil?'

'Mise, ó níl mé pósta. Conas a d'fhéadfainn pósadh agus Seoirse agam. Ní ligfinn aon fhear in aice leis ach an fear ceart, a Giorgio, an fear a thabharfadh grá dó.'

'Sea, ach nuair a fhiafraíonn sé díot cá bhfuil Daidí, cad deir tú?'

Thug sí faoi deara go raibh craos agus airc de shaghas eile anois ar a shúile, agus móráil chomh maith. Thuig sí go raibh sí tar éis an dallóg a ardú agus gairdín na rós a thaispeáint dó rud a thug misneach agus dóchas dó. Ach an airc a d'fhan ina shúile, ba airc é a bhí préamhaithe i ngrá, ach i ngrá nár bhraith an fear seo riamh cheana agus ba láidre anois an grá nua seo ná aon ghrá ban. Níor leis féin a mheabhair a thuilleadh, ba le buachaill sé bliana déag é.

'Ó, nuair a fhiafraíonn sé díom cá bhfuil a dhaidí deirim go bhfuil tú i do phríosúnach cogaidh sa Rúis – creideann sé é. Tá do phictiúr aige – an cuimhin leat, an ceann a tógadh is tú i mBerlin?' Tháinig iontas air.

'Berlin! Is cuimhin!'

'Thugais dom é, tá sé ar an bhfalla aige ina sheomra.'

D'fhéach sí ar an aghaidh arís. Bhí draíocht an mhic dulta i gcion air i ndáiríre. An grá a bhíonn ag duine dá mhac is measa agus is treise é ná aon saghas eile grá. Mar cuma cad a tharlaíonn ní athróidh sé. Nach ait an rud corp fir, cúpla focal agus athraíonn an cheimic ar fad é.

'Á, Joan, tuigeann tú go bhfuil sé tábhachtach go mbeidh seans agam bualadh lem mhac.'

'Ní thuigim.'

Bhain an freagra simplí siar as.

'Gabh mo leithscéal, cad a dúirt tú?'

'Níl cead agat é a fheiceáil.'

Tháinig cuma bhreoite air amhail is dá mbeadh sé i bpéin.

'Níl cead agam tar éis a bhfuil ráite agat liom.' Bhí iarracht den éagaoin san abairt.

'Níl'

'Cén fáth?'

Thomhais sí an duine seo fúithi lena súile, ansin labhair sí chomh mall sollúnta is a bhí inti.

'Mar seacht mbliana déag ó shin thugais leanbh dom a dhein praiseach de mo shaol, tugaim ar ais anois duit é is gurb amhlaidh duit.' Lasc sí na focail isteach ina aghaidh. Thóg sé coiscéim siar is sheas ansin amhail is a bhí duine tar éis é a chiceáil sna magairlí. Kick in the balls.

'Mo mhac, lig dom é a fheiceáil, uair amháin.'

'Ní ligfead.'

Tháinig lasair nua isteach ina shúile, d'fhéach sé ina thimpeall.

'Ní féidir leat mé a stopadh – feicfidh mé é agus feicfidh mé inniu é. A Mhaidhc, tar amach anseo go fóill agus beir air seo. Brostaigh!'

Léim a croí nuair a thuig sí go raibh sé chun í a leanúint. Chas sí is d'imigh de rás trasna na sráide. Agus í ag imeacht chuala sí é ag béiceadh, ' A Mhaidhc.'

Agus í ag déanamh ar an ngluaisteán ar a dícheall chaill sí bróg. In ionad stopadh chaith sí uaithi an ceann eile is lean uirthi. Bhain sí amach an gluaisteán, léim isteach is bhailigh léi Sráid Holles síos. Stop sí lasmuigh de Kitty O'Shea's is tharraing a hanáil. An rud a scanraigh í ná go dtiocfadh sé ina diaidh is go bhfaigheadh sé uimhir an ghluaisteáin. Ansin chloisfeadh Roger faoin scéal ar fad. D'fhéach sí timpeall uirthi. Níorbh í an chathair chéanna a thuilleadh í, bhí an t-aoibhneas úd teite agus gan ann ina dhiaidh mar mhalairt ach cruas lom coincréite. Bhí sé léite aici in áit éigin gur mairg don té a bhaineann díoltas amach mar gur minic a éilíonn an díoltas céanna éiric níos measa.

Thosaigh sí an gluaisteán is d'éalaigh léi isteach sa trácht. Conas a thabharfadh sí aghaidh ar Charraig an tSionnaigh anois? Cad a dhéanfadh sí ann? An *Waterford Glass* a shnasú, an troscán a aistriú timpeall. Ní raibh aici ach nithe, scéal cam uirthi, nithe. Bhí an scéal ag dul sa mhuileann uirthi, chaithfeadh sí cuimhneamh ar rud éigin, aon rud, an sceideal a bhí roimpi go dtí an Cháisc! An Cháisc! Is ansin a chuimhnigh sí air. Ina broinn a bhraith sí é, folús a bhí ag at. Bheadh sé sé bliana déag ar an gCáisc seo chugainn. Nó bheadh sí. Thuig sí anois nach ginmhilleadh a bhí ann in aon chor ach triúrmhilleadh!

Aos Ifrinn

Ag gabháil soir tríd an Mhumhain dom fuaireas amach go rabhas rite as peitreal i mbaile beag darbh ainm Baile Aille Liú. Ní bhrisfeadh an garáiste mo sheic. Díreach ag an bpointe sin bhuail mar a bheadh splanc mé agus thuigeas láithreach go rabhamar go léir ag maireachtaint in ifreann.

Bhuaileas isteach go dtí an tigh óil seo, agus shíneas an seic thar chuntar. Sall le fear a' tí chun na fuinneoige á iniúchadh; thit tost ar chóip na dí laistiar díom. Sna laethanta úd bhí aithis ag baint le seiceanna. Bhraitheas an cleas laistiar dom iniúchadh ó shál go rinn, ach go mór mór na sála, mar um an dtaca sin ba sna sála a bhí an t-éasc orainn go léir agus leath na tíre curtha as a ndíreach acu.

Ní bhrisfeadh an pusachán abhaic seo mo sheic ach chomh beag. Ar an slí amach dom thugas aghaidh orthu. ''Bhfuil an scéal is déanaí ar an g*Cuban Crisis* agaibh?' arsa mise. D'fhéachadar go léir orm féachaint an rabhas dáiríre, agus ansin d'fhéachadar ar an Lilliputian laistigh den chuntar mar dhea is gur aige a bhí réiteach gach feasa. Ní dúirt sé focal. Níor chlos ach sconna ag ligean – ní uisce ach an tsíoraíocht – ina deoir is ina deoir. D'fhéachadar go léir isteach ina ngloiní – gach gloine acu folamh. Ar chuma éigin bhain na gloiní sin leis an síoraíocht mar is mar a chéile tnúth is ifreann.

'Cá bhfios nó gurb inniu Lá an Luain?' ní bhfuaireas beann ar mo labhartha.

'Lá Philib a' Chleite?' aon toradh.

Thugas mo dhroim leis an Aos Ifrinn agus d'éalaíos liom amach as Lic na bPian.

I lár na sráide lasmuigh rith sé liom go raibh gaol ag Páidí Sé (deartháir Dan) sa phóicín móna seo agus é ina chléireach paróiste nó ina 'fheidhmeannach cille' de shórt éigin. Seo liom láithreach ag greadadh suas na lánaí chun an tséipéil. Ar an slí suas na céimeanna dheineas iarracht ar scéal an chléirigh a thabhairt chun cuimhne – is amhlaidh a cailleadh a mháthair agus gan aige ach na trí bliana. Iascaire ba ea an t-athair agus ós rud é nach raibh ar an oileán ach an t-aon chlann amháin agus gan éinne a chabhródh leis ní raibh aon leigheas aige ar scéal an linbh ach é a fhágaint i mbairille ar bharr na haille an fhaid is a bhíodh sé féin ag iascach, is gach re súil aige in airde air.

Deirtear go bhfuair an leanbh an-drochúsáid ó na faoileáin agus go mór mór na caobaigh. Ansin bhí rud éigin mar gheall ar bhrataca, ceann dearg don ocras, ceann dubh dá mhúinín agus araile. Racht gáire a tháinig orm, a dhuine, is b'éigean dom bheith im shuí ar na steipeanna chun go scaoilfinn tharam é. A thuilleadh den ifreann.

Ní raibh aon oidhre ar an áit ach teampall gallda, néatacht is glanachar ar fad, a dhuine, pé áit a bhfaigheann siad an t-airgead chuige.

'Cara mé le Páidí Sé!'

'Fágann sin an bheirt againn inár gcairde go deo, a mhic,' ar seisean agus bhain sé an-fháscadh as mo lámh. Comhaos dom féin – má thuigeann tú leat mé – ach rud beag as an ngnáth. Ní fhéadfainn a rá conas, mar bhí an dealramh céanna air is a bhí ar an gcuid eile againn – tá's agat – *fucked up* is i bhfad ó bhaile, an ceann ag scamhadh orainn agus na bróga *crepe* céanna. D'fhéachas timpeall ar an oifigín.

'Cad a dheineann tú anseo?'

'Buailim an clog.'

'Níl ansin ach trí huaire sa ló.'

'Is fíor dhuit ach is é an feitheamh is measa. Ach deinim na veistmintí chomh maith, 'dtuigeann tú, ní haon dóichín iad na veistmintí céanna, mise á rá leat,' agus sméid leathshúil orm. Rinc na méara tamall ar an mbord, ansin thóg sé amach uaireadóirín airgid ar shlabhra agus ghliúc air.

'Seacht nóiméad déag go Fáilte an Aingil.' Chonaic sé an fhéachaint a thugas ar an uaireadóir. 'Ba lem mháthair é,' ar seisean, 'níor thit d'oidhreacht liom ach é,' agus dhein sé gáire beag. Ansin chlaon sé im leith, 'ach is cuimhin liom í.'

'An tú cléireach an pharóiste?'

'Ní mé, ach ...'

'Ach?' Bhuel, dá mbeinn ann an dá lá dhéag bheinn gan freagra. 'Sea, tuigim, tá fear eile ...'

'Tá fear eile .....'

'Ach lá éigin beidh tú id ...'

'Lá éigin ...' Corrabhuais a bhí air, maran miste leat.

Chualamar torann lasmuigh den doras. Gheit mo dhuine as a chathaoir agus sall leis go béal an dorais, sceimhle éigin ar a aghaidh. D'fhéach sé suas síos an cosán ach ní raibh éinne ann. Chas sé ar ais ach iarracht den sceimhle fós air.

'Mheasas gurbh é an t-athair Maití a bhí ann.'

'An sagart paróiste?'

Shuigh sé síos arís. 'Ní hé an té is measa é. Ach caitheann tú a bheith cáiréiseach nuair a bhíonn sé sa chomharsanacht, má thuigeann tú leat mé,' agus sméid leathshúil eile orm. Ach fós ní fhágfadh an sceimhle an aghaidh. Tar éis tamaill ghlan sé a scornach is labhair arís.

'Ní bheadh sé ceart ná cóir dá n-imeofá agus drochthuairim agat den Athair Maití. Fear maith é. Thóg sé isteach anseo mé, thóg, ambaist, an uair a bhí jabanna gann go leor. Eisean a ghearr amach an seoimrín seo as an eardhamh dom – domsa amháin, a dhuine.'

D'fhéachas timpeall arís ar an g*cubbyhole* ina rabhamar agus thugas faoi deara den chéad uair gur leaba shuíocháin é an binse ar a raibh sé suite. Is ansin díreach a bhuail sé mé mar phoc ón spéir – an bairille! Bhíomar sa bhairille.

'Níl aon bhuachaint ar shéipéal a dhuine, agus an saol le

breáthacht is díomhaoine a bhíonn le fáil ann! Bunoscionn leis an áit seo thíos.' Dhírigh sé a lámh i dtreo an dorais mar a raibh radharc ar shimnéithe agus ar shlinnte Bhaile Aille Liú againn – ní baile beag in aon chor a chuirfeadh sé i gcuimhne duit ach clós tógálaí. D'éirigh sé ina sheasamh agus mar a bheadh misneach nua chun an tsaoil ann. 'Bíonn tú slán sábháilte in eaglais. Cad é an tiús atá sna fallaí an dóigh leat, seo, tabhair buille faoi thuairim.'

'Ocht dtroithe ar tiús, déarfainnse,' arsa mise.

'Dhera, éist, a dhuine, táid in áiteanna trí troithe déag ar tiús. Sin agat tiús a mhairfidh le saol na saol, céad moladh le Dia.' Shuigh sé síos agus racht laochais air amhail is a bhí buaite ar dhuine éigin aige. Ach ní mise a bhí ag argóint leis agus is cinnte nach raibh éinne eile ann.

Táimse féin an-tógtha le heaglaisí, bíodh a fhios agat. Uaireanta deinim amach go raibh baint éigin agam le heaglais i geann de na saolta a bhí ann roimh an gceann seo más fíor a gcloisimid. Mé im shagart paróiste, cá bhfíos? Nó mise an t-ailtire? Nó an bacach ar an déirc lasmuigh den doras?

Mhíníos scéal an tseic dó. 'Ná cuireadh sé aon mhairg ort,' ar seisean. 'Sé is lú is gann dom a dhéanamh do chara Pháidí Sé. Tar éis Fáilte an Aingil, déanfad é a bhriseadh duit.' Mhíníos dó gur cruashiúl a bhí fúm soir agus iachall orm a bheith i Miosc roimh a cúig.

'Miosc roimh a cúig, Miosc roimh a cúig,' ar seisean agus iarracht den neirbhís air. 'Dá ndéanfainn roimh Fháilte an Aingil é bheimis ag baint na mbairneach den chloch.'

'Má chuirtear aon mhoill ort buailfeadsa an clog duit.'

'Ní haon dóithín an clog, a dhuine,' ar seisean agus buairt air.

'Bhíos i scoil chónaithe tráth dá raibh. Dheininn an clog a bhualadh go rialta, a trí, a trí, a trí, ansin a naoi, ní haon nath liomsa é.'

'Scoil chónaithe!' Thóg sé an-cheann den scoil chónaithe. 'Tá go maith,' ar seisean, 'déanfad é a bhriseadh duit i dtigh Teaingní.' Thug sé chomh fada leis an gcloigtheach mé. 'Fágfad fút mar sin é. Bíodh a fhios agat go bhfuil an-iontaoibh agam asat.' Agus as go brách leis ar sodar, mo sheicín idir na méara aige. Ní folair nó bhí sála iarainn faoi mar chuala an cliotar a dheineadar ar na céimeanna go dtí gur éagadar sna lánaí thíos.

Bhí téad an chloig os mo chomhair amach agus is mór an t-ionadh a dheineas de ag siúl timpeall air. Siogairlín mór dearg ar crochadh de cheann na téide agus as sin suas snaidhmeanna don ghreim. Lean mo shúil na snaidhmeanna an téad suas go dtí gur chailleas iad i ndorchadas an túir. Ar feadh soicind bhíos ar aon aimsir leis na meánaoiseanna.

Chuir sé dáinín Goldsmith i gcuimhne dom – rud a dhein sé nuair a bhí sé sé bliana d'aois ag faire ar fhrancach in ionad bheith ag éisteacht leis an seanmóir in eaglais a athar.

A pius rat
For want of stairs
Climbed a rope
To say his prayers.

Tá's ag Dia go ndéanfadh filí nua-aimseartha fonóid faoi seo ach nach maith gur cuimhin liom é an uair nach cuimhin liom tada atá scríofa acu féin.

Ghluaiseas liom timpeall urlár an chloigthí ag léamh na bhfógraí. Bhí John J. Moroney tar éis suíochán nua a bhronnadh ar an séipéal in onóir dá bhean chéile a cailleadh roimh Nollaig. Chosain sé £345 – ba bheag nár thiteas as mo sheasamh. Agus pictiúirí an phápa nua, Eoin rud éigin, ar na fallaí go léir. Dá mba chathair mar a tuairisc í ba ghearr go gcuirfeadh sé deireadh leis an gcreideamh ar fad. Ach focal faoin *Cuban Crisis* ní raibh ann.

D'fhéachas uaim soir mar bhí sé ráite gur anoir a thiocfadh an cnagadh dá séidfí an domhan. Is dócha go bhfeicfimis an caor chugainn anoir agus ansin 'Bye Bye Blackbird.' Ach ina ionad sin, thosaigh cloig an bhaile ag séideadh Fáilte an Aingil. Aicíd orthu! Bhí an tosach ag na clochair orm. Thugas seáp buille faoin téad agus bhaineas an-tarrac as; ach má dhein níor choinníos an téad ach ligeas uaim suas an túr arís é. Cling níor chlos! Tharla sé seo trí huaire agus tháinig idir eagla is náire orm. Ansin chuimhníos gurbh é an rud a dheinimis nuair a bhíomar óg ná léim ar an téad agus gan é a scaoileadh as ár ngreim go dtí go gcloisfimis an chling thuas.

Sea, a dhuine, thugas léim ruthaig amháin faoin téad agus ó dhe, mo léir, chuireas tormán miotalach bodhar amach thar díonta is simnéithe an bhaile a bhainfeadh céir as cluasaibh i bhfad is i ngearr. Ní raibh aga agam bheith mustrach mar chuala rud eile – cibeal is cliotar anuas an túr chugam agus macalla á bhaint as na biomaí adhmaid. An clog chugam! Léimeas mar a léimfeadh cat beirithe. Bhuail rud éigin leaca an urláir is dhein smionagar díobh. Bhain an tuargain crith as an eaglais ar fad. Leath mo bhéal orm is ghreamaigh mo chroí im scornach. Bollán de chloch rua a bhí ann is toit ghorm ag éirí as. Dá bhfanfainn mar a raibh agam bhíos im phleist, a dhuine, im phleist!

Bhí an-chúram orm is mé ag féachaint suas an túr an turas seo. Chonac go raibh an chloch rua seo tar éis cipíní a dhéanamh de dhá chomhla bhreátha adhmaid agus spící solais tríothu aníos. Seo isteach fear bhuailte an chloig. 'chuala torann millteanach, canath....' Stop sé amhail is gur pléascadh sa phus é.

D'fhéach sé ar phraiseach an urláir. Sligreach déanta de na leaca, an chloch rua ina spallaí. Thóg sé a cheann is thug tamall ag féachaint suas trí dhorchadas an túir. Agus, ar ndóigh, as sin ormsa. 'Croch ard lá gaoithe chugam más fíor a bhfeicim.' Ní dúirt sé ach an méid sin. Mhíníos dó chomh cruinn is a d'fhéadfainn cad a bhí tarlaithe.

'Míle míchothrom ort! Tá tú sé chloch déag má tá an t-unsa ionat in aon chor. Cad a bhí fút, an túr a leagadh orainn?'

Is ansin a thosaigh an scéal ag dul sa mhuileann i gceart air. Chúlaigh sé isteach sa chúinne is chlúdaigh a aghaidh lena bhosa. Labhair sé ansin is bhí rud beag de mheamhlach linbh ar a chuid cainte. 'Níor chuireas cos amú ó thánag anseo ach gach aon rud mar a hiarradh orm. Cad a déarfaidh mé leis an Athair Maití, an cloigtheach ina chis-ar-easair, agus inné a deisíodh an clog agus....'

Sall liom go tapaidh is thugas amach as an gcúinne é.

'An clog deisithe! Cé a dheisigh é?'

'Neid. Dearthháir an Athar Maití.'

'Aha! Aha! An deartháir! Dabht ní dhéanfainn de, mhuis, an deartháir!' An seanscéal céanna go deo deo. Bhraitheas údarás chugam agus chun cur leis an údarás bhaineas tarrac as an téad. Ach má dhein thit sé is thosaigh sé ag cuailleáil ar an urlár. Ba leor féachaint ghrod chiútáilte amháin suas an túr. Dhera, a dhuine, d'fhágas an áit im splanc. Bhuail ceann na téide mo dhuine ar phlaosc a chinn ach is baol liom go raibh sclóin ceangailte den téad. Bhí an t-ádh leis mar dá mba sclóin uimhir a trí a bhuail é bheadh an gabhar róstaithe aige.

Bhí an cloigeann ag cur fola aige ach ní rabhas-sa chun é a rá leis, ní rabhas, ambaist! Faoin am seo bhí a aghaidh ina bhosaibh agus mo chuid airgid ag gobadh astu. Shleamhnaíos amach as na méara dhá nóta puint is nóta deich scillinge. Thug sé an chuid eile dom i réalacha is flóiríní. Bheartaíos láithreach go gceannóinn seacht ngalún peitril leis an méid seo, agus nuair a bhuailfinn Miosc bheadh dóthain fágtha do cholmóir is *chips* dúbailte, agus seacht gcinn de phiontaibh bhreátha bhuíocha – rud a chuir sceitimíní tnútháin orm, a dhuine.

Mar sin féin bhí sé in am agam caoi éigin a chur ar scéal seo na heaglaise. Chuas ag áiteamh air ach focal ní labharfadh sé. Ansin chuireas ar a shúilibh dhó go gcaithfimis dul suas go dtí an clog chun an téad a cheangal de arís.

'Ní rachaidh mé in aice aon chloig,' ar seisean d'uaill agus an aghaidh fós i bhfolach aige. 'Ní fhaca riamh é!'

'An clog? Ní fhaca tú riamh an clog agus tusa fear a bhuailte!' Bhog sé an ceann go mall anonn is anall. Chreideas é.

'Féach,' arsa mise, 'ní gá duit aon eagla a bheith ort mar táimse i gceannas anois. Bíodh a fhios agat go bhfuil an-eolas agamsa timpeall clog. Cad dúraís ó chianaibh, an-iontaoibh agat asam, bhuel, tig leat bheith iontaobhach asamsa, a dhuine.' Mhíníos dó nach gcosnódh na leaca briste ach cúpla punt le deisiú dá mbeadh aithne aige ar an bhfear ceart – agus ní leithéid Neid a bhí i gceist agam. Aon uair a thosaigh sé ag gearán, nó a dúirt sé 'Ní féidir liom é a dhéanamh' séard a chasas leis ná 'b'fhéidir gurbh fhearr leat dul ceangailte i Maití.' Chuireadh seo líonrith air.

Ar deireadh thiar bhaineamar an staighrín amach agus seo linn suas céim ar chéim. Leath slí suas fuaireas amach canathaobh ná faca sé an clog riamh – bhí mo dhuine ina *agorophobic*. B'éigean dom é a bhrú romham an tslí ar fad go seoimrín an chloig – dá mbeadh lucht féachana ann bhíos im sheó bóthair aige.

Cé nach raibh dóthain slí don bheirt againn thugas faoi deara cad a bhí cearr. Róláidir ar fad a bhíos nuair a tharraingíos an téad. Bhíos tar éis an clog a iompó tóin os citeal agus ar chuma éigin bhí sé tar éis mant a bhaint as an *cornicing* agus é a chaitheamh síos an túr orm. Ar a shlí síos is amhlaidh a chuir sé fearsaid an chloig as alt. Thuigeas ansin go gcaithfimis an scéal a cheartú, rud a d'fhéadfainnse a dhéanamh gan stró.

'Tá fearsaid an chloig as alt, caithfimid é a dheisiú,' arsa mise ach ní bhfuaireas aon toradh. Bhí sé ansiúd agus an aghaidh folaithe sna lámha aige. 'Tá tú *alright* anseo, a bhuachaill, oscail do shúile, ní baol duit,' arsa mise.

'Ní dhéanfad,' ar seisean, 'táim scanraithe roimh....'

'Roimh airde?'

'Ní hea, a bhuachaill, ach roimh an talamh a fheiscint uaim síos. Is amhlaidh a léimfinn.' Agus léimfeadh an diabhal. Bhí beagán cúir bailithe ar chúinne amháin dá bhéal.

'Conas a dheiseoimid é muna n-osclaíonn tú na súile?'

'Bhuel, beidh sé gan deisiú más ea,' agus thuigeas go raibh sé i ndáiríre.

'Cac is oinniúin air mar scéal, nílim ach ag cabhrú leat!' Aon toradh! Shocraíos láithreach go gcaithfimis é a dhéanamh agus gan ach an t-aon pheidhre súl againn. Sall liom chuige ag tláithínteacht leis. Rugas ar ghualainn air – mar a dhéanfadh deartháir. 'Tá an ceart ar fad agat coinnigh dúnta na súile.

Taispeánfaidh mise duit cá gcuirfir na lámha.' Thógas a lámha is tar éis tamaill fhada d'éirigh linn ceann na fearsaide a bhaint amach. 'Beir air anois,' arsa mise, 'go maith, tóg é beagán anois, maith an fear, táimid réidh, más ea.' Chuas ansin go dtí an taobh eile agus rugas féin ar cheann eile na fearsaide. 'Ní thógfaidh sé seo i bhfad, ach ar do bhás ná scaoil uait ceann na fearsaide, an gcloiseann tú mé?' Chuala freagra éigin ná raibh ach ina ghlothar.

Rugas ar an bhfearsaid is thógas beagán é. 'Tóg aníos do thaobhsa beagán, go breá réidh.' Rud a dhein gan stró. 'Anois táim chun mo thaobhsa a thógaint arís ach fan-se mar a bhfuil agat.' Thógas mo thaobhsa dhá orlach nó mar sin. 'Chríost, sall leis an gclog ag sleamhnú faid na fearsaide go taobh mo dhuine. Bhéic sé, agus as go brách lenár gcloigín síos scornach an túir, agus gach aon tuargaint aige ar a raibh fágtha de na comhlaí adhmaid. Bhéic sé arís. Bhéic mise.

'Cad ba ghá dhuit é a scaoileadh uait?,' agus díreach ag an nóiméad sin bhuail an clog an t-urlár thíos. Bhuel, ba bheag nár shéid an pléascadh an séipéal de bharr an chnoic. Chlúdaíos na cluasa. Léim na píosaí miotail beagnach chomh fada suas linne. Nuair a thiteadar sin bhí a thuilleadh ruaille buaille. Agus ansin an ciúnas. Mar reilig. Agus ansin a raibh de dhoirse i mBaile Aille Liú ag oscailt agus an mhuintir ag éirí amach agus an ruathar bróg suas na steipeanna go dtí an eaglais. Líonadar isteach sa chloigtheach is d'fhéachadar suas, gach béal acu ar leathadh. Dá gcaithfeá buicéad prátaí anuas orthu thachtfaí a leath.

Sall liom go dtí mo dhuine a bhí anois ag meamhlaigh mar leanbh. Rugas ar ghualainn air. 'An gcreideann tú i nDia?'

'Creidim.' Bhí sé nach mór ina aon bhall amháin creatha, 'ach seo é deireadh an tsaoil.'

'Ní hea in aon chor. Bhí deireadh an tsaoil ann na billiúin bliain ó shin.'

'Agus cá bhfuilimid anois?'

'In ifreann. Táimid in ifreann, bhí, tá, is beidh i gcónaí. Tráth dá raibh bhíomar ar an saol pé áit ina raibh sé ach chacamar ar an scéal agus cuireadh síos anseo sinn.' D'oscail sé na súile, agus d'fhéach orm go faiteach. Ansin d'fhéach sé suas ar an díon. Dhíríos mo lámh síos an túr, 'ná féach síos ansin.' D'fhéach! Lig sé béig as is láithreach dhein sé é féin a chnuchairt isteach sa chúinne mar ghráinneog.

Chorraigh an slua thíos, scoilteadar ina dhá leath, agus sheas fear mór ard i bhfeisteas sagairt i lár baill. D'fhéach sé suas ach bhí sé ródhorcha le mé a fheiscint.

'Phó, ohó,' arsa mise, 'cé atá chugainn ach Matt the Thrasher macánta,' agus chuir rud éigin ag gáire mé. Lig mo dhuine cnead as is dhein iarracht ar liathróidín a dhéanamh de féin.

Chualamar na coiscéimeanna ina gceann is ina gceann an staighrín aníos chugainn. Chuaigh a bhfothrom i méid. Thóg mo dhuine a cheann is scairt sé orm. 'In ainm Dé cad é an mí-ádh a sheol chugam tú?' Ní bhfuaireas aga ar é a fhreagairt mar seo isteach chugainn an sagart paróiste.

Bhí an mhíchéatacht úd ar a aghaidh atá go mó i bhfabhar i measc lucht eaglaise. Bhí sé an-ard – a hata suas leis an síleáil. D'fhéach sé ar an mbeirt againn.

'Tá sé seo ag dul thar fóir, Shea!' agus shéid a anáil poimp i measc na bhfocal.

'Go breá bog ar do mhaidí anois, a Mhattser,' arsa mise. Thit an tóin as an aghaidh aige – baineadh siar as chomh mór sin. Leanas liom, 'ní raibh aon bhaint ag an bhfear macánta seo leis an scéal.'

'Cé hé seo, Shea?' Seile ba ea gach focal díobh, go mór mór Shea. Dhein fear an chloig únfairt éigin sa chúinne.

'Á mhuise, a Mhaití, a bhuachaill,' arsa mise, 'tá an cleas sin ar eolas go maith agam. Neid a dheisigh an clog, mar dhea! Sin é an obair a chodail amuigh. Seans gur fear deas é, ach tá's agam an saghas, ní fhágann sé aon rud a gcuireann sé lámh air gan mháchail. Maití, a bhuachaill, abair le Neid go bhfuil léite agamsa air go maith.'

Bhuel, dar a bhfuil de dhiabhail in ifreann ach mheasas gur taom croí a gheobhadh sé. Phléasc an cheist arís as. 'Shea, cé hé an bacach seo?' Ag an bpointe sin díreach mheasas go léimfeadh fear an chloig, ach níor dhein, dhein sé a thuilleadh cnuchairt air féin agus gheoin sé. Is mar sin a bhí sé, déarfainn, nuair a bhíodh na faoileáin á ionsaí.

D'éiríos is chuireas cuma na himeachta orm féin mar bhí mo chuid oibre anseo déanta agam. 'Cara mé le muintir Shé,

Mattser, ní rabhas-sa ach ag cabhrú,' agus ghluaiseas go grástúil thairis. Síos liom an staighrín trup, trup. Agus mé ag fágaint an chloigthí ba é a chuala ná, 'Shea, thógas isteach anseo thú nuair ná raibh ort ach na ceirteacha. An bhfuil a fhios agat cad táim chun a dhéanamh?' Síos na steipeanna liom. Ní rabhas cinnte ar fad cad a dhéanfadh Maití. Ach i gcás fhear an chloig de bhí sé soiléir.

Amach liom ar phríomhshráid Bhaile Aille Liú agus táthairí ag screadadh na nuachta. Cheannaíos an 'Echo' agus siúd trasna an chéad leathanaigh na cinnlínte ag fógairt 'Géilleann Khrushchev'. Sea! Bhí sé cruthaithe – bhíomar in ifreann. Mar tá ifreann buan, agus caithimidne, aos ifrinn, a bheith buan dá réir.

Fuaireas peitreal, thugas féachaint amháin ar Bhaile Aille Liú agus gheallas dom féin ná raibh aon leigheas ar an scéal ach galún iomlán den mheidhir chúránach ag ceann na scríbe. Agus as go brách liom trasna na Mumhan. Thugas faoi deara go raibh ceann de na Fords nua, Cortina, romham sa tslí, ceann breá gorm, stialla *chrome* leis na maotháin aige. Seanchreatlach de Hillman Imp atá agam féin, ceann a bhfuil an tóin ... Imp! Den chéad uair riamh bhuail sé mé, an dtiteann sé leat? Ní haon timpiste é go bhfuil Imp á thiomáint ag an aon duine a thuigeann gur in ifreann dúinn.

Ach shantaíos an Cortina. Beidh ceann agam chomh luath is a thosóidh na *breakers* á mbriseadh – timpeall na bliana 1974.

Ach seans go mbead marbh faoin am sin. An corp, is é sin. Ach saolófar láithreach im leanbh arís mé, in aon tír agus in aon aimsir is mian leo. Cá bhfios nó go dtógfar i mbairille mé ar bharr na haille. Cheana féin braithim scáthanna na gcaobach is iad á scaoileadh fúm.

Tuatha Dé Danann

Bhí muinín ag Fearghus as daoine, as an mhaitheas a bhí iontu. Chun go mbuanófaí an mhaitheas úd is ea a thóg sé 'An Br. Fearghus', mar theideal dó féin. Bhí a fhios ag an saol go raibh an dearcadh muinteartha seo aige, agus nuair a chuaigh sé leis an ord i 1950 – an Bhliain Bheannaithe – níorbh aon ábhar iontais é. Ar ndóigh bhí daoine ann a dúirt gur cheart dó dul go bun an angair agus bheith ina shagart; ní hamháin go raibh Fearghus naofa, ámh, ach bhí sé umhal ina chroí dá réir.

Ní hé nach raibh rogha ann – an Dr. Fearghus, an tAthair Fearghus, an Máistir Fearghus, an Br. Fearghus – ach bhí 'R' i bpáirt acu le chéile. Tairgeadh an Banc dó, ach dhiúltaigh sé dó, rud a chuir ionadh air féin de bhrí go raibh luí thar na bearta le figiúirí aige, agus le cúrsaí airgid i gcoitinne ach go mór mór le praghsanna. Ní thiocfadh aon mhargadh sa dúiche slán óna bhreith mar rachadh gach aon duine i gcomhairle leis ar dtús, bhí an oiread sin measa ar a thuairim. Ba chuma cén t-earra é – capall, tarracóir, gort, gluaisteán nó carbhat – thuig sé iad mar bhí iomas an mhangaire ar a thoil aige. Dá ainneoin seo ní leomhfadh a athair dó dul ar an aonach le beithíoch a dhíol as a stuaim féin. Mar bhí locht uafásach air. Bhí sé macánta. Béal bocht, béal bán, nó gnáthbhéal – ní aithneodh sé thar a chéile iad.

'Fearghus a bheith cliathánach i gcónaí mar chomhairleoir agat agus mar sin amháin,' is ea a deireadh a athair faoi.

Sea, bhí a mhuintearas féin de mháchail air. Dá mbeadh air

dul ar theachtaireacht bheag chun an bhaile mhóir, bheadh an lá sin ina Tháin ar fad aige, chuirfeadh sé an oiread sin cainte ar dhaoine i dtrucailí, i ngluaisteáin, ar rothair, nó ar bholg na sráide féin. Agus sin é an fáth gur chuaigh sé le manachas – bhí gairm sa saol aige: daoine.

D'imigh leath an pharóiste go dtí an stáisiún. Bhí na mná ag sárú a chéile sa mholadh, á rá cé chomh maith is a tháinig an chulaith dhubh, an léine bhán, agus an carbhat dubh leis.

'Trua nach go Maigh Nuad atá a thriall,' a dúradh lena mháthair. 'Ba mhaith an sás é chun seanmóir a thabhairt, a déarfainn.'

D'aontaigh a mháthair léi, thriomaigh sí a súile, chroith sí a ciarsúr ar Fheargus, bhog an traein chun siúil, agus bhraith gach aon duine go raibh an samhradh ag tréigean an ghleanna.

Theanntaigh fallaí móra na nóibhíseachta an t-anam saor tuaithe ann ar dtús, ach ba ghearr gur tháinig sé isteach ar riail an mhanachais. Toisc an discréid a bheith go mór ina phearsantacht, níorbh fhada go raibh sé ag réiteach a raibh d'fhadhbanna spioradálta ag na nóibhísigh eile.

Bhí air na móideanna crábhaidh a thógáil – bochtaineacht, umhlaíocht agus geanmnaíocht. Dar leis, ba bhreá an rud an umhlaíocht mar ba mhó cúram a bhainfeadh sé de, go mór mór cúram na rogha; ní bheadh aon rogha ann ach a ndéarfaí leis a dhéanamh, dá áiféisí é. Ní hé go ndúradh leis aon rud áiféiseach a dhéanamh; mar sin féin d'fhaigheadh sé foláireamh ait anois is arís; urlár na cistine a ghlanadh an uair go mbeadh sé glanta ceithre huaire cheana féin an lá céanna ag nóibhísigh eile. Ach dhéanfadh Fearghus le lán a chroí é, ag ní is ag sciomradh go snas, agus b'fhéidir go nglanfadh sé píosa den halla chun cur leis an gcomhaireamh.

Agus an gheanmnaíocht? Dhein sé amach nár dheacra de mhóid é; ba bheag a spéis i gcúrsaí ban. Ar a shon sin bhí Nóirín Mistéil ann. Cad ab aois di? Sé déag, seacht déag? Chaitheadh sí gorm i gcónaí, chun teacht leis na súile is dócha, agus mothall dualach buí ag titim isteach sna súile céanna, agus bricíní amuigh ar a srón – ba bhreá leat na bricíní.

Ach ní foláir nó bhí an cailín ait sa cheann, mar aon uair dár fhéach sé uirthi d'imigh sí sna trithí, nó thabharfadh sí a droim leis agus gach aon siotgháire aisti. Mar sin féin ba bhreá leis an ghruaig bhuí sin a shlíocadh – beadh sí ina síoda; agus craiceann bán a scornaí – bheadh sí bog, níos boige ná aon rud a gcuirfeadh sé lámh air sa mhainistir go deo. Go deo. Agus ba bhreá leis ... ach fastaím! Ní raibh aon chiall leis seo. Bhí glactha le móid aige agus sheasfadh sé leis. B'olc an rud taibhreamh.

D'fhéach sé timpeall ar fhallaí a chillín, iad lom, bán, discréideach; an leaba lena braillíní stáirseáilte, an chathaoir, an bord ar a raibh leabhar an Aifrinn, agus dealbh Naomh Antaine. Rudaí ba ea iad ar fad a bhféadfá lámh a chur orthu agus thug sin misneach dó. Leag sé a lámh ar cheann Antaine; bhí siad ceanúil ar a chéile. D'fhéach sé síos ar na leaca iontlaise a raibh loinnir an tsnasáin go glé orthu, faoi mar a bhí ar na hacraí urláir ar fud na mainistreach. Líon sé a scamhóga le boladh an tsnasáin; boladh mainistreach ba ea é, boladh a thinteáin féin anois.

Ach móid na bochtaineachta! An raibh sé ag dó na geirbe aige? Ní fhéadfaí a chur ina leith go raibh saoltacht dá laghad ag roinnt leis. Nár thug sé uaidh le croí a raibh aige – a ghunna fiaigh do dheartháir Nóirín Mistéil, a *crombie* dubh do Dhonncha, a uncail. Ní raibh airgead uaidh, is é sin pinginí ina phóca, ach theastaigh uaidh go mbeadh baint aige le gnóthú an airgid, mar bhí cearrbhachas san fhuil aige. D'fhéach sé an fhuinneog amach thar dhíonta luaidhe na cathrach agus lig sé osna as; b'fhéidir lá éigin go mbeadh sé ina chisteoir ar an ord – bhí sé sin de shásamh aige. Ach bhí glactha le móid aige agus bhí íobairt i gceist ansin agus as íobairt a d'fháiscfí sonas éigin. Lean sé de bheith ag cabhrú lena chomhnóibhísigh, cé go raibh rud amháin ag déanamh mearbhaill dóibh siúd: ní raibh an chabhair ó Fhearghus.

Lá mór ina shaol ba ea lá na móideanna. Tháinig a mhuintir aneas chuige agus bhí siad lánsásta nuair a chonaic siad a fholláine agus a bhí Fearghus ag féachaint. Ba bhreá leo, leis, an t-áras galánta ina raibh sé ina chónaí, agus tailte fairsinge na nóibhíseachta. Bhí Fearghus ina shampla den chráifeacht ar an altóir dó, agus ghoil a mháthair beagán i rith an deasghnátha. Níorbh aon naomh é athair Fhearghuis ach bhí áthas air go raibh cara sa chúirt ag an gclann anois – i gcúirt ár dTiarna – duine a chuirfeadh cogar sa chluais cheart in am an ghátair.

Go gairid tar éis do cáiliú san ollscoil thosaigh sé ag múineadh i meánscoil ar imeall na cathrach. Daltaí bochta a bhí aige, rud a d'oir go mór dó, mar bhí a fhios aige go dtuigfeadh sé iad agus go bhféadfadh sé cabhrú leo. Agus dhein. Na daltaí sin nach bhféadfadh taomanna na Laidine a sháró, mhúin sé cuntasaíocht dóibh. Tháinig sé go mór leis na daltaí mar thug sé an íde cheart dóibh; b'in é an bua a bhí ag Fearghus – thug sé íde na ndaoine do na daoine.

D'éirigh le hamchlár na scoile rithim sheascair a chur i bhfeidhm ar imeachtaí a shaoil; saol a bhí faoi sheol ag neamhurchóid a d'fhan le fómhar an amhrais. Cad é an mhaitheas a bhí á dhéanamh aige? Nach raibh an gnó céanna á dhéanamh ag na tuataigh ar an bhfoireann? Ní raibh eatarthu ach tuarastal; ar ndóigh thuig sé go raibh a thuarastal féin ag cabhrú leis na fíréin thar lear. B'in íobairt, b'in misneach. Mar sin féin bhí rud éigin ar lár ina shaol. Caitheamh aimsire éigin? Ní hea. Bhí a dhóthain ar láimh aige idir rang na scoláireachta agus na ranganna scrúdaithe. Ach bhí rud in easnamh.

Lá dá raibh sé ag triall trasna an chlóis faoi dhéin an lóin bhuail sé le Micheál de Búrca. Bhí deighilt bheag idir tuataigh agus cléir i gcónaí – támáilteacht ghairmiúil ar dheacair a mhíniú; ach b'eisceacht é Fearghus i ngach riail. Ráinig go raibh gearán na máistrí ar siúl ag Micheál. Chroith sé seic na Roinne os a

chionn le teann cochaill. ''Íosa Críost! Fiche is a cúig; fiche is a
cúig agus an Nollaig sa mhullach orm.' Dhein Fearghus iarracht
ar é a shásamh agus thóg sé an seic ina lámh. D'fhéach sé air, rud
nach bhfaca sé riamh cheana, agus bhraith sé aduaine an tsaoil
amuigh. Bhí an píosa páipéir lán de chódanna, liúntais, deontais,
agus íocaíochtaí nach iad; bhí a shúile in achrann iontu, a
mhéireanna á ndó ag an ruidín draíochta seo. D'imigh Micheál
agus d'fhág sé an duine eile go mór trí chéile ina aigne.

Deontais, liúntais, íocaíochtaí. Ní fheadair sé cad é – is é sin dá
mbeadh sé amuigh – cad é an taurastal a bheadh aige féin anois?
Bhí ábhar a chráite go ceann cúpla lá aige.

Scríobh sé go discréideach chun na Roinne ag lorg mioneolais.
Fuair sé an freagra agus b'in lá mór i saol an Bhr. Fearghus.
Chomh luath is a bhí an easparta thart chuaigh sé go dtína
sheomra, thóg leabhar cuntasaíochta nua anuas agus d'oscail.
Go cuí is go cóir dhein sé ainm na scoile, a shloinne, a uimhir
chláraithe, agus an dáta a iontráil air. Ansin, ainneoin é a bheith
ar cipíní, bhreac sé síos go cruinn ar thaobh an tsochair, a seacht,
a cúig, a náid, agus an comhartha £. Leag sé uaidh a pheann
agus d'fhéach sé ar an ghaisce. Bhí an leathanach ag baint na súl
as, go mór mór an £; bhí sé corraithe mar is mar sin a théadh
an £ i bhfeidhm air i gcónaí. Bhraith sé ábhairín ciontach cé
nach raibh ann ach súgradh. Lean an bheirt acu ag féachaint
ar a chéile. B'ait leis mar a rinceodh an £ duit ach do shúile a
choimeád air; bhí gréas diabhlaí air.

Tar éis na coimpléide an chéad lá eile shuigh sé chun machnaimh arís ar an £750. Go tobann bhuail sé isteach ina aigne go gcaithfí cáin ioncaim a bhaint as an méid sin. Scríobh sé go dtí an Oifig Chánach agus fuair sé freagra giorraisc uathu. Éagóir ba ea é! Ach bhrúigh sé a fhearg faoi agus dhealaigh sé céad punt óna stór: £650 glan aige, aige féin amháin. Luaigh sé an tsuim i gcogar leis féin mar a dhéanfadh sé le paidir. Ba rabairneach drabhlásach an tsuim é. D'fhéach sé go hamhrasach thar a ghualainn ach ní raibh ann ach Naomh Antaine. Thuigfeadh sé siúd.

Mheas Fearghus go gcaithfeadh sé cónaí in árasán i Ráth Maonais nó in áit mar sin, is é sin da mbeadh sé amuigh, ach ní raibh sé riamh taobh istigh dá leithéid agus ní fhéadfadh sé é a shamhlú dó féin.

'Árasán? *Bedsit* atá i gceist agat, is dócha,' arsa Micheál.

'Agus cogar, cad é an difríocht?'

'Bheul, dá ndéanfá iarracht ar a bhfuil de sheomraí i dteach a bhrú isteach i seomra amháin thuigfeá do *bhedsit*. Tá ceann agamsa i Ráth Maonais anois agus níl inti ach leaba dhúbailte agus ...'

'Dúbailte?'

'Bhuel, tá's agat, ar mhaithe le compord, tá's agat,' arsa Micheál agus é ag gliúcaíocht trí shúile suaite na maidine air. 'Ansin bheadh sorn gáis, almóir, seilfeanna leabhar, cófra tarraiceán, cófra bia, agus roinnt póstaer ar na fallaí agus sin agat do *bhedsit.*'

'Suimiúil ar fad. Ceist agam ort, a Mhichíl. Cad air a gcaitheann sibh bhur gcuid airgid go léir?' Ba bheag nár tógadh Micheál dá bhoinn le hionadh, ach chruthaigh an déine agus an dáiríreacht i súile an Bhr. Fearghus nach raibh sé ag magadh.

Dhein Micheál a mhachnamh air go ceann cúpla soicind. 'Ós rud é go bhfuilimid mór le chéile,' ar seisean ag tabhairt sracfhéachaint ina thimpeall, 'inseoidh mé duit: beoir agus mná.'

Ba bheag nár phléasc Fearghus le náire, ach níor lig sé faic air.

'Cad mar gheall ar thoitíní?' ar seisean.

'Bhuel, a Bhráthair, má tá tú chun dul le múinteoireacht caithfidh tú maireachtaint ar do thuarastal múinteora. Bíodh toitíní agus mná agat, beoir is mná, nó beoir is toitíní, ach is drabhlás gan teorainn na trí cinn i dteannta a chéile.'

D'imigh Fearghus leis, agus é lánsásta leis an scéal. Bhí sé chun a lán airgid a spáráil; níor chaith sé tobac, duáilce chríochnaithe ba ea an t-ól, agus ní raibh sé chun dul le mná. Bhuel, ní raibh sé cinnte faoi sin. Fear ba ea é, faoi mar ab eol dó féin agus dá athair faoistine go rómhaith. Ach bhí sé oilte ar aon chathú a phriocfadh é a láimhseáil; bhí neart cabhrach ar fáil: an Mhaighdean Mhuire, Naomh Antaine agus an Spiorad Naomh – cé gur mheas sé go raibh an Spiorad beagáinín doicheallach.

Bhí na focail draíochta ar a theanga aige – 'A Íosa, A Mhuire, trócaire, fóir!'

B'iúd leis i mbun saothair: chuir sé gach aon rud síos sa leabhar cuntais – *bedsit* i Ráth Maonais – bia, éadaí (bhí a fhios aige i gcónaí cá mbíodh an sladmhargadh le fáil agus cheannaigh sé cóta 'de ghlas an chamaill' dó féin), dhíol sé a shintiús leis an A.S.T.I. – airgead in aisce – chuir sé £50 ag triall ar a athair agus a mháthair, dhealaigh sé £50 de, ar eagla na heagla, agus bhí £200 glan fágtha aige. Stán sé síos ar na figiúirí néata agus bhí a chroí is a mheabhair ar éadromacht le teann gaisce.

Ach bhí mianach an fhir ghnó ann agus ní fhéadfadh sé suim mhór mar sin a fhágáil ar salann. Chrom sé ar bheith ag gabháil de stocanna agus scaireanna – mar spórt ar ndóigh. D'fhoghlaim sé to tapa agus níor dhein sé an botún céanna an dara huair riamh. Ba ghearr go raibh máistreacht faighte aige ar ghnó casta an mhalartáin. Tháinig an lá agus de bharr a chuid glicis infheistíochta bhain sé an míle punt amach. Níor thug sé aon obair bhaile do na daltaí an oíche sin, rud a chuir gliondar orthu mar bhí an Br. Fearghus ag éirí an-chancrach le déanaí.

Shocraigh sé ar ghluaisteán a cheannach, agus chuige sin chuir sé fios ar an litríocht speisialta fógraíochta. Faoin am seo bhí a sheomra á líonadh le ciorcláin, ainmliostaí, catalóga; gach saghas eolais ar éadaí, ar théipthaifeadáin, ceirníní, gunnaí fiaigh, bataí gailf, trealamh iascaigh – gach a mbeadh ag teastáil ón bhfear saolta. Ar ndóigh níor fhág sé na catalóga ar fud an tseomra os comhair an tsaoil, ach ag an am céanna ní chuirfeadh sé i bhfolach iad. Ní raibh aon rud faoi thalamh ag baint le Fearghus. Níor dhein sé ach iad a chur go discréideach faoina chuid fobhrístí i mbun an almóra.

Cheannaigh sé *Morris Minor* gorm – ar athláimh – a chonaic sé i ngaráiste in aice na mainistreach. Ní hé nár chuaigh sé i gcomhairle lena chuid cuntas ar dtús. Ba bheag nár chuir cáin agus árachas ar athrú meoin é; bhí a fhios aige go raibh sé ag dul ar an drabhlás, ach ní fhéadfadh sé é féin a stopadh. Dhein sé dealú do gach rud, fiú amháin peitreal (*regular*). I gcaitheamh na haimsire sin bhí ag éirí go seoigh leis ó thaobh infheistíochta de – cruach na Breataine – cairpéid Eochaille – Dunlop – stán de chuid Cheanada.

Tharla gur chuala na manaigh eile faoin gcaitheamh aimsire nua seo a bhí ag Fearghus, agus níor thóg siad aon phaor de dá bharr. Bhí sé thar a bheith in am aige, a dúirt siad, ós rud é go raibh sé ag obair chomh crua sin. Pé scéal é, ní raibh sé mar a bhí an Br. Conall lena chuid féileacán, nó an Br. Tadhg a raibh tráchtas á scríobh ar 'T séimhithe' aige.

Ní raibh Fearghus sásta le gnáthpháipéir na maidine a thuilleadh – bhí a gcuid eolais ar stocanna aagus scaireanna róghann. Ní raibh ach leigheas amháin air: *The Financial Times* – sea, an cuntas ar shaint bhándearg an chine dhaonna. Pé scéal é, ní raibh anseo aige ach súgradh. Gach aon mhaidin thugadh Micheál isteach faoi rún é agus ligeadh sé leis ag an sos beag é.

Ansin chomh luath is a d'fhaigheadh Fearghus an deis air sa
tráthnóna thógadh sé go dtí a sheomra é agus bhaineadh sé lán
na súl as colúin mhealltacha na gcéatadán: is go deimhin féin
bhí a chuimhne chomh hoilte sin ar chúrsaí, go bhféadfadh sé
ponc deachúil a leanúint siar dhá mhí. Sea, bhí ag éirí go geal
leis; in aois a thríocha dó bhí roinnt mhaith de mhaoin an tsaoil
aige; £1,500 13s 8d infheistithe aige; agus ní raibh oiread agus
pingin ag aon duine air.

Maidin amháin tháinig Micheál de Búrca isteach, cuma bhreoite
air agus d'fhógair sé go raibh sé chun pósadh. Agus dhein; agus
threisigh a shláinte agus bhí Fearghus an-sásta leis an scéal mar
mheas sé gur náireach an mhaise do dhuine a bheith ina aonar,
is é sin dá mbeadh sé 'amuigh.'

Bhí Fearghus saibhir ach mar sin féin mhothaigh sé go raibh
rud éigin in easnamh, rud éigin ar lár ina shaol. Ghuigh sé faoi
chomhairle.

Tráthnóna amháin i gcorp an gheimhridh istigh ráinig dó
bheith ag siúl trí fhuacht agus trí shalachar Bhaile Átha Cliath.
Bhí troscadh an charghais, tuirse na múinteoireachta, agus ar
ndóigh cúram na gcuntas ag gabháil stealladh dó. Bhí sé cortha
idir anam agus chroí. Bhí na soilse ar fad caoch trí cheo na Life,
agus an brú abhaile ar siúl ag muintir na cathrach. Chuir na
daoine gruaim air, go mór mór a gceannaithe préachta agus an
béilín docht éisc céanna ar gach duine acu.

Agus é ag siúl trasna Dhroichead Uí Chonaill cad a chífeadh sé ach ógbhean ag stopadh chun déirc éigin a chaitheamh isteach i gcaipín ceoltóra a bhí caite ar a thóin sa tsráid. Aisteach go leor bhí an bacach úd ag seinm orgán béil gach lá ansin le fada, ach níor thug Fearghus puinn riamh dó. Níorbh aon scanróir é Fearghus ach ba mhinic dhá tháille bus aige an uair a dhéanfadh ceann amháin an gnó. Ach chuaigh beart seo an chailín i gcion go mór air agus go háirithe an cailín féin; í gleasta le tuiscint agus í dathúil dá réir – an-dathúil. Agus dhein sí gáire leis an mbacach – bhí croí inti. Ní raibh ann ach soicind agus bhí Fhearghus beagnach thar a bráid nuair a d'imigh sí roimhe amach.

Bhraith sé é féin á leanúint – gan fhios dó féin – ag tabhairt taitnimh do rince bródúil na gruaige doinne; agus an cóta gairid ag luascadh le rithim a coisíochta, ag ligean an rúin ar chorp álainn ógmhná. Bhí an cóta go hard os cionn a hioscaidí, an-ard; agus é ag preabadh ina diaidh lean a shúile na línte córacha ó na mása blasta síos go rúitín daingean.

Ach níorbh é an corp a chuir an chluain ar fad air, ná an aghaidh, dá áilleacht í, ach an gáire agus boige a béil. Thabharfadh sé a lán airgid chun an gáire sin a fheiceáil arís; b'fhiú fiche scair i n*Gulf Oil* ar a laghad é. Sea, agus sáimhe a súl – an gáire agus an tsáimhe.

Lean sé timpeall Choláiste na Tríonóide í mar a raibh tranglam mór daoine. Ba é sin an chéad uair a fuair sé boladh a cumhráin. Dá threiseacht iad na súile buann an tsrón orthu, mar chuir

cumhracht seo an chailín a chuimhne ag imeacht sa rás na
blianta siar. Bhí sí chomh hálainn sin gur mhothaigh sé lagachar
sna glúine, ach níor thit sé – beag an baol. Mar níorbh é féin a
bhí i bhfeighil a thuilleadh ach deamhan mire ag riaradh a lútha,
ag tiomáint na gcos, ag luascadh na lámh. Ní fhéadfadh aon
naomh teacht i gcabhair anois air, níor rith aon phaidir leis.

Dá ngabhfadh sé roimpi amach bhí a fhios aige go bhféadfadh
sé féachaint siar ar an aghaidh ghleoite sin arís. Ach cearrbhach
ba ea é nach millfeadh a leas. D'fhan sé siar uaithi is lean sé
síos Faiche Stiabhna í, síos Sráid Bhagóid chomh fada leis na
soilse tráchta. Chuaigh sí suas céimeanna cloch go doras galánta
Seoirseach. Fad a bhí sí ag útamáil leis na heochracha, d'fhéach
sí anuas go neamhchúiseach ar Fhearghus a bhí ag gabháil thar
bráid. Ar feadh soicind amháin bhí súile na beirte i ngleic,
soicind mar a bheadh siosarnach síoda, ach mheas Fearghus go
raibh an tsíoraíocht ar fad ann, agus a chroí ag imeacht sa rás ina
chliabh. Leis sin bhí sí imithe, agus bhain plab an dorais macalla
as an aer, rud a d'fhág Fearghus ina aonar sa tsráid, ina aonar sa
saol. Augs d'imigh macalla an dorais ar fud na sráide, á rá leis de
ghuth toll bodhar: 'A Bhráthair Fearghus, tá tú i do dheoraí ó
fhleá an tsaoil agus is amhlaidh a bheir go deo.'

D'imigh sé go maolchluasach ag tarraingt na gcos ina dhiaidh
trí shalachar agus ceo Bhaile Átha Cliath. Mhothaigh sé rud
beag aisteach agus bhí sé corraithe. D'fhéadfadh duine grá a
thabhairt do dhuine mar í; agus d'oscail a chroí níos mó ná

riamh agus líon le grá. Bhí a fhios aige go raibh sé á líonadh mar bhraith sé é ag réabadh i gcoinne a easnachan.

Chuir sé a dhá uillinn ar dhroichead na canálach; bhí soilse na cathrach ar sonnchrith ar bharr an uisce. Ní fheadair sé cad ab ainm don ainnir seo? *Diana* a bhí mar ainm ar bhean Mhichíl de Búrca. An raibh sé in éad le Micheál? Ní raibh, mar bhuafadh an cailín seo ar *Diana* aon lá, idir chló agus ainm. *Diana* – ainm bhandia an fhiaigh. Ainm deas ba ea é ach é ábhairín gallda. Gan dabht bhí comhchlú d'ainm tuillte ag an gcailín seo. Ar ndóigh bhí bandéithe in Éirinn, leis, mar a bheadh *Dana* de chuid Tuatha Dé Danann.

'Sea, *Dana*!' a dúirt sé os ard agus bhuail sé buille dá bhois ar fhalla an droichid. Bhí lánúin ag gabháil thairis agus d'fhéach siad go míchéatach ar an duine seo a bhí feistithe in éadach dubh agus a dhá uillinn buailte ar an droichead aige.

D'fhág sé an droichead. Bhí na casúir ag gabháil de bhéimeanna ina aigne; ar chuma éigin rug na cosa leo abhaile é.

An tráthnóna ina dhiaidh sin bhí Fearghus ag siúl suas is anuas an halla leis an gcuid eile, ag salmaireacht paidreacha Laidine. Bhí a fhios aige go raibh díograis thar an ngnáth á cur aige iontu.

'*Nunc dimittis servum tuum*.' B'iúd a ghuth chomh toll daingean le haon bhráthair acu. Agus cumá nach mbeadh? Nach raibh a bhandia aige? D'fhéach sé ar aghaidheanna na manach eile.

Dia á mbeannachadh, ach bhí ceannaithe bréatha muinteartha orthu. Mar sin féin ghlac trua dóibh é mar ní rabhadar chomh sona leis féin. Níor mhór dó an ceo a thógáil dá gcroí ar chuma éigin; bhí sin de dhualgas air.

D'fhás sí; iarmhéirí, moltaí coimpléid, trátha, nónta, aifreann, fiú nuair a bhíodh sé istigh sa rang ag fuirseadh na ndíochlaonta – ba chuma – bhí draíocht an bhandé á mhealladh. D'fhás sí go nádúrtha, mar a dhéanfadh bláth fiáin sa choill, gan saothrú, gan stró, ach ó dhúchas. Mar ba í Dana bandia na Talún.

Anois dá dtabharfadh slua an oilc, a bhíonn i gcónaí ag gabháil stealladh don duine, fogha faoina aigne ní bheadh le déanamh aige ach cuimhneamh ar *Dana*, rud a dhéanfadh spior spear díobh. Bhí sí chomh mór sin ina aigne go raibh Antaine ruaigthe aici. Agus dá mbeadh Fearghus ar fad ina steillebheatha thabharfadh sé faoi deara go raibh Antaine rud beag buartha.

Seachtain ghlan ina dhiaidh sin chuaigh Fearghus go dtí a leabhar cuntais agus cuspóir speisialta ina aigne aige. Thug sé féachaint amháin ar na figiúirí: ansin thóg sé a pheann agus dhealaigh sé £500 dá thaisce saoil. Bhí sé ráite in irisí na mban go léir go gcosnódh aon bhainis an méid sin agus ar ndóigh ní shásódh aon rud Fearghus ach an togha.

B'as Uachtar Ard di mar a raibh tábhairne beag ag a muintir. Firín tóstalach croíúil ba ea an t-athair a bhí fial faoin gcuideachta agus galánta faoin bpionta. Ba dheise fós an mháthair agus chuir sí gach aon chóir ar Fhearghus. Bhí sí an-tugtha don arán sinséir.

Ba mhór an lá é agus cheannaigh Fearghus an gléasadh go léir (ní dúirt na hirisí ban go gceannaíodh an t-athair céile é siúd). Bhí na daoine mór le rá go léir ann – an sagart paróiste, agus an sáirsint a bhí an-mhór le muintir an tí, agus sheas Donncha, a uncail, dó.

Chaitheadar mí na meala i Moscó. Bhraith Fearghus beagáinín ciontach faoi seo ach bhí a fhios aige nárbh aon chumannach é; ach bhí 'Cogadh agus Síocháin' léite aige agus ráinig dó bheith i ngrá le Natasha. Agus anois bhí a Natasha féin aige. Ar ndóigh b'uafásach an costas é agus bhí air gréasaíocht cheart ghlic a dhéanamh ar na cuntais, ach d'éirigh leis.

Nuair a tháinig siad abhaile thóg siad an seomra béal dorais ar cíos, rud a d'fhág árasán acu. D'imigh na hiarmhéirí, d'imigh na nónta is na trátha, d'imigh an aimsir.

Lá amháin tharla go raibh Fearghus ag canadh na dtráth nuair a bhuail sé isteach in aigne go mb'fhéidir go raibh *Dana* uaigneach léi féin san árasán fuar úd. Ní foláir nó bhí rud éigin in easnamh, rud éigin ar lár.

I lár na seachtaine tháinig Micheál de Búrca ar scoil déanach agus rian an ragairne fós air agus d'fhógair sé gur saolaíodh iníon dó. Ba bheag ná chiceáil Fearghus é féin nuair a chuala sé an scéala. D'imigh sé láithreach go dtí a leabhar cuntais agus saolaíodh mac dó – níos fearr ná iníon Mhichíl. B'uafásach an costas é – £250 ar bhanaltras príobháideach san ospidéal. Bhí an saol ar mire le costas: ar an taobh eile de, b'fhiú é go léir ar bhandia.

Agus anois bhí triúr acu ann – Fearghus, *Dana* agus Fearghaisín. Ach níor mhór rud éigin a dhéanamh go tapa. Ní raibh sé sásta go mbeadh a chlann sáite i dtionóntán i Ráth Maonais – sluma ba ea Ráth Maonais, níor thaise do Ráth Garbh é, agus do Bhaile Átha Cliath ach oiread leis siúd. Sea, bhí sé chun dul thar imeall na cathrach amach agus teach mór a thógáil le gairdín agus teach gloine. Ba bhreá le *Dana* an teach gloine mar a gcaithfeadh sí an mhaidin ag scoitheadh rósanna; agus thiocfadh folláine na tuaithe le sláinte Fhearghaisín.

D'fhéach sé ar na cuntais ar feadh i bhfad: £800! Chuir sé faobhar ar a ghliceas; an t-iomas ann ar inneall chun gaisce. Cad a bheadh ina mhámh? Bhí sé ag lóipéireacht sa dorchadas. Faoi dheireadh d'aimsigh sé scaireanna áirithe agus chuir sé a raibh aige orthu.

D'imigh mí agus ní raibh sé de mhisneach i bhFearghus féachaint ar pháipéar. Théadh sé timpeall na mainistreach, na casúir ag gabháil ina aigne, agus 'A Rí gach máimh, a Rí gach máimh' as. Maidin amháin fuair sé an *Financial Times*; ar son na discréide rug sé leis go dtí an seomra folctha é. D'oscail sé é agus ba bheag nár thit sé isteach san fholcadán le halltacht. A Íosa Críost, bhí an mámh mór aige: *Poseidon*! Agus bhí sé ag imeacht mar a bheadh diabhal as ifreann.

Chaith sé an lá sin ar fad trína chéile. Dhein sé botúin ar an gclár dubh. Labhair sé Gaeilge i rang na Laidine agus bhí sé an-chancrach leo ag an Teagasc Críostaí. Bhí ábhairín eagla ag teacht ar na daltaí roimhe na laethanta seo.

An mhaidin dár gcionn bhí an scéal níos measa. Bhí sé saibhir – an-saibhir. Níor labhair sé le haon duine. Chaith sé an tráthnóna ar fad ina sheomra. Níor thit aon chodladh air an oíche sin, an tríú hoíche.

Bhí na súile craorag, allas an lagachair ar chlár a éadain, nuair a rith sé trasna an chlóis ar maidin go Micheál. Shnap sé an páipéar as a lámh. Bhí sé fíor. Bhí sé ina mhilliúnaí. Sona go deireadh an tsaoil!

Rug sé greim casóige ar Mhicheál, agus chroith sé é. 'Saibhir, táimid saibhir,' ar seisean de bhéic agus léim a raibh de mhúinteoirí sa seomra de gheit. Stán siad air, ach ní túisce a bhí an seasamh a bhí ina shúil tugtha faoi deara acu ná go raibh sé imithe; imithe ag sodar trasna an chlóis agus na leathanaigh bhándearga á gcaitheamh le gaoth. Ghread sé leis go ramharbhrógach an pasáiste síos go seomra an Bhráthar Uachtarán, é círíneach bolgshúileach le rith a ráis. Réab sé isteach sa sanctóir úd is d'imigh de rince timpeall an Uachtaráin agus gach aon liú agus gáir as.

Ghearr barraí na fuinneoige an solas go néata is chaith siad mogaill laga ar urlár na hotharlainne. Ní raibh le cloisteáil amuigh ach teachtaí agus imeachtaí beaga mainistreach á ndéanamh os íseal, leithscéalach.

Bhí Fearghus ina chnóisín faoi na braillíní gan ach a shrón agus a spéaclaí ag gobadh aníos. Réab an Br. Xavier, an garraíodóir, an doras isteach, boladh créafóige uaidh, agus gabháil mhór bláthanna aige. Ba é an fear ba mhó toirt san ord é, agus na misiúin san áireamh. Tháinig a ghuth aníos óna bhróga.

'Táthfhéithleann, méaracán gorm, lus an mhadra, buachallán buí, seamar cloch, agus an caisearbhán – liodán ceart fiailí, a mhic.'

Leag sé ar chlár iad le hais na leapa.

'Ach tar éis a' tsaoil cad tá i bhfiailí ach bláthanna atá ar bheagán pribhléide.'

Agus scairt sé amach sna trithí sa tslí gur chrith urlár an tseomra. Bhí Xavier an-aosta agus b'eagal le Feargus go dtitfeadh sé anuas ar fad air. Tharraing sé dhá úll anuas as a phóca, chuimil dá shútán iad, agus thairg sé ceann amháin d'Fhearghus. 'Cox's Orange Pippins – beidh féasta againn.' Shuigh sé ar cholbha na leapa ag cnagadh an úill, na spriongaí ag gearán faoin meáchan. Ní raibh dúil ag Fearghus ann ach d'ith sé é.

'B'fhéidir go gcabhrófá liom sa ghairdín nuair a bheidh do shláinte arís agat?'

Dúirt Fearghus go ndéanfadh.

'Ní fearrde tú an clár dubh go ceann i bhfad.'

D'imigh sé agus tháinig an Br. Albert, cisteoir na mainistreach. Bhí seisean i gcónaí tostach, cliathánach ina phearsantacht. Sheas sé i lár an tseomra ina staic. Bhí a athair ina ghréasaí fadó, rud a d'fhág an-mheas ag Albert ar bhróga. Thóg sé bróga Fhearghuis amach ó faoin leaba agus scrúdaigh iad.

'Gheobhaidh mé bróga deasa nua duit, péire a mbeidh boinn leathair fúthu.'

D'imigh agus tháinig an Br. Uachtarán. Dúirt sé go nglanfadh sé a sheomra dó. Líon sé mála le leabhair agus rudaí mar sin. Ag gabháil amach dó, mhol sé d'Fhearghus guí chun an Spioraid Naoimh.

Mhothaigh Fearghus go breá cluthar codlatach. B'fhéidir gurbh é an tráthnóna te faoi deara é, nó cumhracht na mbláthanna. Bhraith sé a aigne á thréigean. In áit éigin bhí salmaireacht ar siúl, salmaireacht mhilis Laidine, ag moladh na nDéithe. Agus b'fhéidir Bandéithe.

Ding

A liopaí scartha is an abhlann bhán ag tuirlingt ar a teanga bhándearg, is mar sin is cuimhin liom í. Ach níorbh é an chráifeacht úd amháin, ach longadán a coirp a chuir gach súil sa phobal ag tomhas a coiscéimeanna ón altóir anuas. Bhí bród orm seasamh taobh léi ag doras an tséipéil, is mé páirteach sa taitneamh a thug na mná di, is níor chuaigh féachaint fholaigh na bhfear i ngan fhios. Dar le cách d'fhéadfadh sí a rogha rud a dhéanamh le héadaí; dar liomsa d'fhéadfadh sí a rogha rud a dhéanamh.

Ag doras an Volvo chuir sí an eochair i mo lámh. D'éirigh liom an carr a shleamhnú amach as an gcarrchlós gan aon díoscán rómhór as an ngiar agus scinneamar an bóthar síos i dtreo an bhaile mhóir. Agus cumhacht an innill ag tonnadh trí mo chnámha agus an bhean fhionn seo taobh liom, thuigeas cad ba bhrí le 'aois fir'. Bhladhmas na soilse ar gach éinne a d'aithníos go dtí gur ghabhamar thar *squad* ag droichead an Airgidin. B'éigean dúinn malartú an-tapa a dhéanamh ansin agus b'in é an uair a chonac an marc ar a muineál.

'Céard a bhain dod' mhuineál?'

Rinne a méara rince imníoch ar bhóna a blúis, ag iarraidh an ball gorm a chlúdach.

'Ní faic é, a chroí – ná cuireadh sé aon mhairg ort.'

Mhothaíos an-mhíchompordach ar fad.

'Tá cuma cheart ghránna air. Céard a tharla?'

D'fhéach sí amach ar an mbóthar, féachaint imigéiniúil ina súile, a méara ag bualadh rithimí ar scing thanaí a machnaimh.

'Droch-oíche ab ea an oíche aréir arís. Bhí sé ar na stártha.'

Mhothaíos an cochall ag greadadh trí m'fhuil.

'An amhlaidh a bhuail sé thú?'

Faoin am seo bhí an ball gorm clúdaithe le lása bán.

'Ná téigh ceangailte sa rud seo, a Éamoinn. Éiríonn mar seo idir fear is bean uaireanta. Rachaidh an scéal chun réitigh, téann i gcónaí – tá taobh maith ag baint le claontacht dhaonna leis. A fhad is nach dtagann aon rud ná aon duine eadrainn.'

Chuir sí an bhéim ar 'aon duine'. Níorbh iad na focail a labhair sí liom a chuaigh i gcion chomh mór sin orm ach an tslí ina ndúirt sí iad gan aon bhagairt iontu, gan stró orthu. Séard a bhí uaithi, a dúirt sí ná cara rúin lena ligfeadh sí a cuid buairimh. Ba mise an duine sin.

Chuir sí nóta cúig phunt isteach i bpóca mo bhrollaigh.

'Féadfaidh tú deoch a cheannach dom sa *Grove* agus ansin, b'fhéidir, seach a bhaint as an roth ar an mbóthar abhaile.'

Thuas sa *Grove Hotel* bhí *gin* bándearg ag mo mháthair i dteannta Rodney Barcastle. Rodney a bhí lán de chluain is de fhreagraí meara. Agus na capaill. Thráchtfaidís ar chapaill go maidin. Bhí graí ag Rodney agus thosaigh sé ag tathant ar mo mháthair searraigh a thógaint dó. Rinne a súile amach mé agus corrabhuais orthu. Bhí an chorrabhuais chéanna ormsa agus mé ag míniú do Rodney gur faoi m'athair a bhí an scéal ar fad, ach go mbeimis ag áiteamh air. Bhíos tógtha le cleas seo na gcapall: an tslí ina gcuirfidís as duit is iad ag féachaint ort, an tslí a n-ólfaidís, gan á shlogadh ach an méid ceart, an tslí ina mbeannaídís do chailíní leanna, an tslí ina gcuiridís an saol ina shuí ar a thóin dóibh féin. D'fhanas ag éisteacht le Jack Carson ag cur síos dom ar an ngaisce a dhéanfadh *Range Rover* duit, agus mé ag féachaint uaim ar mo mháthair agus í ag caint san fhuinneog *bay*. Bhí solas na gréine ag titim ar a cuid gruaige finne is ar a *gin* bándearg, ach ní raibh a fhios aici go raibh an ghrian ag taitneamh trína gúna aniar, agus imlíne a ceathrúna le feiscint ag an seomra. Ach níor thug éinne faoi deara é.

Thug m'athair taitneamh d'adhmad, thug sé taitneamh dó agus é ag fás, agus é á leagan, agus é á scoilteadh. Líonfadh sé a scámhóga le mos an adhmaid nua ghearrtha agus bhuailfeadh sé a mhéar ar bhall éigin sa ghearradh: 'An t-aer is an bháisteach a thug beatha don chuid sin den chrann, thug sé beatha domsa nuair a thángas abhaile ón Afraic Theas.'

D'fhéachas ar mhí-eagar na gcrann leagtha is na gcreachaillí scoilte agus dheineas iontas den fhuinneamh a d'fhéadfadh an oiread sin tubaiste a dhéanamh do lúibín coille. Thugas tae i bhfleasc dó agus d'ól sé é, úll a scornaí ag preabadh le gach slogadh. Shuigh sé ar chrann is las toitín. Choimeád sé an deatach istigh agus a shúile leathoscailte.

'Tá an t-am istigh do na leamháin go léir,' ar seisean. 'Is gearr go mbeid á dtreascairt. Níl aon éalú ón *Dutch elm*. Is é an t-adhmad is fearr do chuaillí fáil é, an-chosaint ar an uisce aige. Agus cónraí. Leagfaidh an chéad ghaoth mhór eile oiread leamhán is a dhéanfadh cónra do gach mac máthar in Éirinn.'

D'fhéach sé orm.

'Cá rabhabhair?'

D'eachtraíos cúrsaí na maidine dó.

'Is minic an bheirt agaibh le chéile na laethanta seo.'

Chuimhníos ar leochaileacht mo mháthar agus d'fhéachas ar an bhfonóid a bhí timpeall na súl.

'Níl neart air, a Dhaid, caithfead tuismitheoir éigin a bheith agam.'

Bhí goimh ar na focail. Bhíos tagtha isteach ar ghoimh. D'fhéach sé ar feadh tamaill fhada orm; ansin chaith sé seile ar a lámha.

'An dtaitneodh babhta scoilte leat? – dingeanna nua agam. Ar chualais riamh "Ding de féin a scoilteann an leamhán"?'

Choinnigh sé na dingeanna ina seasamh is bhuaileas leis an ord iad gan aon fhlosc mór orm.

'Comáin abhaile go réidh iad nó seinnfidh siad ort.'

Bhíodh a chuid cainte breac le focail nach gcloisfeá go deo ag éinne eile. Agus nósanna: gan feadaíl a dhéanamh istoíche, gan ciaróg a mharú, gan aon bhaint a bheith agat le mná rua. Caithfidh mé a rá gur bhraitheas páirteach i sásamh m'athar ag breathnú dó ar an gcreachaill ag oscailt amach mar a dhéanfadh leabhar. Ach ní mó ná san.

☙ ❧

Bhíos i mo shuí sa stiúideo ag gabháil do cheachtanna baile. Críoch a bhí á cur agam leis an matamaitic nuair a chuala méara ag bualadh ar an doras francach. Joe Hassett a bhí ann, cara dílis buan ólacháin m'athar. Thaitin sé liom, ach le déanaí bhíos ag teacht le tuairim mo mháthar faoi: 'Sméidire is ea Joe.' Ligeas isteach é. Ardaíodh mala amháin is d'fhéach sé ina thimpeall.

'Táim i m'aonar,' arsa mise.

D'fhéach sé ar an matamaitic is tháinig ionadh air mar dhea. Ansin sméid sé orm. B'in comhghairdeas. Bhí dhá gharáiste ag Joe agus é nach mór chomh saibhir le m'athair. Chroith sé a cheann i dtreo an halla mhóir.

'An bhfuil – ?'

'Sa chistin,' arsa mise.

Chroith sé a cheann i dtreo na hiothlainne, na malaí ag obair.

'San úllord,' arsa mise. Bhuail sé a mhéar ar a bhéal agus shleamhnaigh sé amach, féachaint chomhcheilge ina shúile.

D'fhanas ag stánadh ar na leabhair agus mé ag éisteacht leis an seitreach gáire a bhí ag teacht as an úllord. Focal ní fhéadfainn a chur ar phár mar bhraitheas crapadh ag breith ar ghéaga orm. Bhí aiste le scríobh agam ar 'An t-ód mar fhoirm filíochta'. Go gairid ina dhiadh sin chuala *Granada* Joe ag scuabadh síos an bóithrín. Bhíodar imithe go tigh Downey. Ní thaithídís an *Grove.*

Chaith mo mháthair is mé féin an dinnéar le chéile, is gach olc á thaibhreamh dúinn. Bhí sí tostach bánaghaidheach agus níor dhein gliogar na sceana ar na gréithe ach cur leis an teannas. Nuair a bhí deireadh ite againn thriomaigh sí a béal le naipcín is dúirt:

'Tá sé chun é a dhéanamh arís anocht. Tá an mana san orm.' Bhí crith ar a glór.

Dúrtsa nach ndéanfadh, dar so is súd, agus bhuaileas buille ar an mbord a bhain cling as an *china.* Dúirt sí go gcaithfinnse fanacht cliathánach uaidh nó gur domsa ba mheasa. D'imeodh sí féin, a dúirt sí, agus dhírigh sí a lámh i dtreo an bhóithrín. Chlaon sí a corp i leith chugam.

'Cara rúin atá uaim, nach bhfuilim tar éis é a rá leat cheana. An amhlaidh nach bhfuil duine fágtha ar an saol seo ar féidir liom "mo choimirce ort" a rá leis?'

Pé ionsaí a bhí i mo chroí, thráig sí asam é. Líon sí cupán caife dom, dhathaigh dom é is chuir sí siúcra ann. Dhein sí é a shuaitheadh dom, a súile gafa i gcuilithe an chupáin. Shín sí chugam é.

'Is é rud is mó atá ag déanamh tinnis dom ná go maróidh an t-ól oíche éigin é.'

'Conas?'

'Diabhal a' bhfeadar. Uaireanta bíonn an droichidín creathánach á thaibhreamh dom. Tá sé contúirteach go leor agus tú ar do chiall.'

Thógadh m'athair an cóngar an uair ná leomhfadh Joe Hassett é a thabhairt abhaile. Shamhlaíos an Caol, bolg an earraigh uirthi, í dubh, ina tost, an dá bhruach ag lúbadh lena cumhacht. Shamhlaíos m'athair sínte ar a fhad agus ar a leithead inti, a bhéal ag líonadh leis an gCaol fuar, súile an linbh ann ag déanamh iontais de stuanna droichead.

Dhúisigh an rírá mé, búirtheach meisciúil m'athar ag múchadh impí mo mháthar. Chaith sí Joe amach, ruaig sí mise chun mo sheomra is shíneas mé féin chomh righin le clár is mé ag éisteacht leis an ionramháil a dhein sí air go dtí gur chiúnaigh sé sa deireadh.

Gheal an lá orm, is dorchacht orm, mé ródhéanach don scoil. Bhuail sí isteach chugam le cupán tae, súil dhubh uirthi, a cuid gruaige in aimhréidh, gan de rian na spéirmhná uirthi ach an fhallaing sheomra de shíoda gorm. Bhain an taibhse seo stangadh asam is bhrúcht an fhearg aníos ionam. Chuireas amach mo lámh i dtreo mo bhríste – bhíos chun spior spear a dhéanamh den scéal seo. Ach rug sí ar uillinn orm.

'Tá mo dhóthain de mhothúcháin fear faighte agam le tamall anuas,' agus bhrúigh sí siar ar an bpilliúr mé. Bhí a lámh ar mo bhícéips is ní ligfeadh an laochas dom gan borradh a chur air.

'Sea,' ar sise, agus miongháire ar a béal, 'tá tú láidir gan dabht. Ach is beag is fiú neart coirp sa saol seo. Féach ormsa agus gan neart spideoige ionam,' agus thaispeáin sí a lámha slime fíneáilte dom, 'ach ní mise atá thíos leis.'

Dúirt sí nach raibh sí ábalta ar na háraistí bainne a thógaint ná na blocanna leamháin a chur sa *Rayburn*. Ó an diabhal leamháin úd. Cad ina thaobh nach bhféadfadh sé ola a fháil agus téamh lárnach ceart a bheith againn? Rinne sí dearmad ar a cruachás agus lean den tormas faoi sheanaimsearthacht an tí agus gan ach seomra folctha amháin a bheith sa teach.

❧ ❧

Bhí sé cloiste agam míle uair gur maith an áit é séipéal chun do shuaimhneas a cheapadh, ach níorbh fhearra dhom bheith ann ná thíos sa reilig. Bhuaileas isteach chuig Joe Hassett cúpla uair. Chuireadh sé le gealaigh mé nuair a deirinn: 'A leithéid seo, a Joe.'

'Fan go fóill,' a deireadh sé, 'braithim ort go bhfuil éileamh agat ar dhuine de na mná san oifig. Cé acu Jean nó Deirdre atá uait?' is chuireadh an siotgháire ón oifig agus sméideadh Joe deireadh leis an aistear sin.

Chuas suas go dtí an *Grove* uair eile. Ní mór ná go gcaitheadh Rodney Barcastle a shaol ann. Ní fhacadar mé is mé ag an mbeár. Ghlaos ar *lager* agus chaitheas *Carroll*, ag séideadh an deataigh faoin mbád tarrthála. Chuireas *lime* sa *lager* chun é a dhéanamh cneasta. Chuireas mo dhroim leis an mbeár is mo bhróg ar an ráille práis.

'Haló, Rodney,' arsa mise. Chaith sé súil timpeall gur aimsigh sé mé.

'Ahá, an fear féin!'

Bhí sé ag caint os íseal le scata eile cois tine. Shéideas deatach faoin *chandelier* is d'fhaireas é ag sní tríd na siogairlíní gloine. Tar éis tamaill dúras 'Conas atá an misneach, a Rodney?' Thóg sé a cheann agus miongháire air.

'Go hiontach, a mhic, agus tú féin?'

'Go hiontach,' arsa mise. Ansin chroith sé a cheann orm agus sméid cúpla uair, gur lean sé ag comhrá lena chuideachta féin. Is maith liom Rodney. Tá sé an-mhór leis an gclann, ach níor mheasas riamh go raibh sé ina sméidire.

Thug sí ar shíobadh sa Volvo mé síos trí Mhachaire méith na Mumhan in ionad dul go dtí an *Grove*. Bhí sí faighte bailithe den ól, a dúirt sí. Is maith is cuimhin liom an ghrian ar na goirt, geonaíl íseal an innill agus ingne daite mo mháthar go teann ar an roth.

'Táim an-bhuartha, a Éamoinn. Is é rud atá ag déanamh tinnis dom ná go bhfuil t'athair ar tí é féin a mharú le ragairne.'

'An droichead?'

'Ní hea. Plúchadh. Ba bheag nár plúchadh aréir é. Bhí na pluideanna casta timpeall an chloiginn air nuair a dhúisigh a ghlothar mé. Corcra san aghaidh a bhí sé.' Ní hamháin sin ach go raibh sé breoite ar fud na leapa agus gur bhagair sé marú uirthi, agus ormsa leis.

'A Chríost! Mise leis?'

'Tabhair aire dod' theanga.'

'Tá m'athair ag bagairt maraithe orm agus tá tusa buartha faoim' theanga. Dar so is súd má tá marú le déanamh sa teach is air féin a dhéanfar é.'

Shín sí an gluaisteán le colbha an bhóthair is mhúch an t-inneall. Níl aon seó ach a dhéine is a thug sí deimheas a teanga orm, á rá is gur rug sé ina beatha uirthi focail mharfacha mar sin a chloisint óna mac féin. Ghabhas mo phardún aici agus dúras go raibh fíor-aiféala orm. Ach bhí ag teip ar m'fhulang.

Ruaigeadh m'athair an oíche sin go dtí tolg na leabharlainne. An gceapfá go bhféadfainn codladh a dhéanamh tar éis an chlampair sin? Ní fhéadfainn, ach líon an luaithreadán le taobh na leapa le bunanna *Carrolls*. Amach san oíche chuas go dtí an seomra folctha is bhuaileas isteach sa leabharlann ar mo shlí ar ais. Bhí sé ansin agus na pluideanna anuas air agus gaiseá ann. Scaoileas é agus smaoiníos ar a leochaileacht is atá beatha an duine, agus ar an méid iontaoibhe a bhíonn againn as a chéile, go mór mór inár gcodladh dúinn. Ainneoin boladh an leanna, ainneoin na roc, agus an coinleach lae ar a smig, b'fhollas aghaidh an linbh faoi mar a bhí tráth.

Bhí peata capaillín, '*Kerry Hobby*,' ag m'athair. Ní bhíodh puinn le déanamh aige ach bheith ag iníor leis in aon ghort a bheadh díomhaoin. Is minic a bhíodh sé ar iarraidh. Chuireas i bhfolach sa leaca é. D'imigh m'athair agus ceanrach aige agus mise in éineacht leis ag siúl na feirme ar a thuairisc, eisean ceithre shlat chur tosaigh orm faoi mar ba ghnách. Chaintigh sé ar gach cloch is claí is ríomh a stair dom. Bhí sé thar a bheith mórtasach as a raibh aige. Bhí sé go léir déanta aige le mo shaolsa, ar seisean. Phós sé mo mháthair nuair a bhí sí seacht mbliana déag. Bhí sé féin fiche éigin bliain níos sine ná í.

'Tá an '*Hobby*' lastuas den tigh, a Dhaid.'

Stop sé. Bhraith sé rud éigin, mar chas sé an-mhall i mo threo.

'Sea?' Thug sé féachaint an-amhrasach orm.

Bhí óráidín beag ullamh agam ach thriomaigh mo bhéal orm agus chuaigh an chaint ar fán.

'Tá tusa leis ...' ar seisean agus coinneal ar a shúile.

'Cumá ná beinn? Is bean í, a coimirce ormsa.'

'Dhera ná bí i d'amadán ar fad. Deirimse leat fanúint i leataobh. Sin é m'fhocal deiridh air. Nach bhfuairis tabhairt suas maith?'

'Fuair.' Bhraitheas féintrua ag breith ar ghabhal orm.

'Nach bhfuairis bia agus éadaí, agus airgead nuair a bhí sé uait?'

'Fuair.' Dheineas iarracht ar shlogadh gan ligean d'úll mo scornaí bogadh.

'Agus fuairis oideachas maith.'

'Fuair is nára maith agat.'

Dhá phocléim agus bhí sé orm. Tharraing sé an ceanrach agus na fáinní miotail air anuas ar mo shrón, ansin dhá uair trasna ar an leathcheann, agus tugadh go talamh mé. Chaith sé an ceanrach ar an bhféar in aice liom, agus phreab sé ar aghaidh uaim. Baineadh stangadh asam ach níorbh iad na buillí a dhein é ach an easpa feirge a bhraitheas ionam. Bhí beirthe ag an sceon fós ar ghabhal orm. Cham na deora radharc na súl orm is d'fhéachas ar na crainn chraptha agus ar ghuaillí craptha m'athar ag éalú uaim. Níor chuas abhaile ach d'éalaíos isteach i roschoill beithe mar a gcaithinn laethanta m'óige ag súgradh. D'fhanas ansin ag breathnú ar theacht is imeacht na scamall agus ag guí faoi fhearg, is faoi onóir.

Bhuaileas abhaile am tae. Dúras gur thiteas. Chuir sí i mo shuí cois tine mé is dúirt: 'Tá an t-ionú ann deireadh a bheith le titim sa teach seo.'

Chaitheas an oíche do mo théamh féin cois an *Rayburn*, is ag éisteacht leis an gclog mór ag ticeáil soicindí deiridh m'athar ar an saol seo.

Ar a leathuair tar éis a haon déag bhíos thíos ag an droichead creathánach, mo lámh ar an mbolta a scaoilfeadh isteach sa sruth é. Chuala ag teacht aníos an inse é, amhrán á rá aige in ard a chinn. Ach de réir mar a dhruid sé liom bhraitheas an rún do mo thréigean. Ghluais sé thar an droichead creathánach, siúl mearbhlach faoi a bhain lúbadh diamhair as na cleitheacha láir faoi mar a bheadh sé ag griogadh na cinniúna. Ar feadh soicind amháin stop an Caol Dubh le tnúth ach ghabh sé tharam go ramharbhrógach, boladh an leanna ag meascadh le boladh na meatachta. Scaoileas an bolta agus theilgeas an creatlach adhmaid isteach sa chuilithe. Shlog an Caol é is scaoil cúpla bolgóid aníos. Thugas m'aghaidh ar an mbaile agus gan de ghaisce déanta ag anglais seo m'fhola ach barr mo mhéar a reo.

Ghlac teicneolaíocht an bháis forlámhas ar m'aigne: píobáin ghás an Volvo, leictreachas *double phase*, Paraquat, an tarbh *charolais*, fiú an seantobar. A Chríost, ba bheag nár mharaigh an tobar mé. Fadó riamh clúdaíodh le hadhmad é, ach thochail mé faoi is ghearras na cúplaí go dtí nach raibh ann ach scrabha gliogair de bhileoga lofa. Chuireas ceanrach an *Hobby* anuas air is thiteas tríd. Ghreamaigh an ceanrach de rud éigin agus chloisfí ag béiceadh mé sa bhaile mór. Bhí 120 troigh de thitim fúm. Joe Hassett a thóg amach mé is bhíos chomh mór i mo staic ag an sceon gur thug sé go tigh Downey mé is cuireadh dhá leathghloine is dhá phiúnt siar orm sula raibh aga agam 'sea' a rá.

Thug sin mo mhisneach chugam agus thángas chugam féin arís – an seanÉamonn buartha, measctha, meata. Thug Joe abhaile mé, teanntás á dhéanamh againn ar a chéile. Bhí plean aige don tobar. Bhí sé chun na reiceanna gluaisteán go léir a bhí aige a chaitheamh síos ann. Thionlaic sé go dtí an chistin mé, mar a dtáinig an tonn taoscadh orm.

'A Chríost, ná bí breoite orm anseo,' ar seisean, ag preabadh le heagla. B'in é an uair a tháinig mo mháthair isteach is thiomáin sí Joe an doras amaich le híde na madraí is lean amach go dtí an gluaisteán é. Ghlanas mé féin is thugas an leaba orm; agus mo chodladh ag titim orm thuigeas nár sás maraithe go deo mé.

Ghearras m'athair as mo chroí, ruaigeas as m'aigne é agus nuair a chrom sé ag caitheamh oícheanta sa sean-*dairy* ag binn an tí bhíos féin neamhshuimeach go leor mar gheall air, cé gur chuala mo mháthair ag cogaint a cainte faoi aonarachas agus gealtachas. Bhíos neamhshuimeach, leis, nuair a chínn sa scioból mór é, cuma imeallach air is gach osna as. Más amhlaidh a bhí sé ag teacht ar a araíonacha bhí sé ródhéanach aige.

Thángas abhaile de ruathar ar an Yamaha, is chaitheas go garbh le falla é. Lascas na leabhair ar an mbord is ghlaos ar mo Mham. Thuas ina seomra féin a bhí sí is ghlaoigh aníos orm. Nuair a chuaigh mé isteach ina seomra codlata stopas i mo staic. Ansiúd a bhí sí, suite os comhair an scátháin ag cíoradh a cuid gruaige, gan snáth éadaigh uirthi ach sciorta beag dubh. Ghabhas mo phardún aici ach ghlaoigh sí ar ais orm agus dúirt liom suí ar cholbha na leapa, rud a dheineas. Bhí a cuid gruaige finne síos idir a dhá slinneán fan clais a cnámh droma agus an chuid eile de ag titim síos idir a dhá chíoch. Níor fhéach na súile gorma oiread is uair amháin orm, ach lean orthu ag breathnú ar an loinnir a bhí á mealladh amach ag an scuab. D'imigh an náire agus ina áit is amhlaidh a bhí sórt bród orm aisti á rá go mbeadh corp chomh hálainn sin uirthi agus cíocha clóchasacha gan smig ar bith fúthu. Bhí an scéal go léir beagáinín greannmhar leis agus ligeas mar a bheadh siotgháire asam.

'Leathlá arís agaibh?' D'imigh rith focal uirthi mar bhí roinnt fáisceán gruaige ina béal aici. Bhrúcht an cuimhneamh go léir aníos ionam arís is d'inis mé di faoin Uas. Kingston a chaith amach as an eolaíocht mé toisc na hasláithreachtaí go léir agus an obair gan a bheith déanta. Bhí sé tar éis 'coileán gadhair' a thabhairt orm. Bhíos-sa tar éis 'pótaire' a thabhairt airsean agus bhí raic ar fud na scoile faoi. Ghabhas de dhoirne ar an leaba le fearg. Lean sí uirthi ag cíoradh gur ghabh sí dual óir go haclaí le *clip*. Chuir sí maig uirthi féin go bhfeicfeadh sí ar oir sé dá gnó. D'oir.

'Ní féidir liom cur suas leis seo a thuilleadh,' arsa mise de bhéic agus dheineas burla den chuilt le mo dhá lámh.

'An scoil?'

'Sea.'

D'fhéachas uirthi.

'Bheith réidh leis?'

'Sea, ní fearr riamh é.'

Chuir sí *bra* dubh uirthi. B'ionadh liom go bhféadfadh duine seacht mbliana déag a chaitheamh in aontíos le duine eile agus a laghad eolais a bheith aige fúithi.

'Na múinteoirí seo,' ar sise agus í ag priocadh is ag tarrac an *bra* mar seo is mar siúd, 'déanaim amach gur dream iad atá ar bheagán tuisceana ar an saol.'

Chuir sí slabhra a raibh péarla amháin air timpeall a muiníl. Thug sí féachaint mallroisc amháin eile ar a pearsa sa scáthán, ansin tháinig sí i leith is shuigh taobh liom agus lámh amháin timpeall orm.

'Anois cad é seo go léir? An gcuirfidh d'eolaíocht gás sa Volvo? An gcuirfidh d'ód éadaí ort? Féach amach an fhuinneog.'

Chuir sí iallach orm féachaint amach na trí fhuinneog a raibh radharc uathu ar na 660 acra.

'Is leatsa na goirt sin. Is duitse atá siad á saothrú is déanfar gan Ardteist é, deirimse leat, cuimhnigh ort féin is ná buair do cheann le daoine bochta an choláiste.'

D'fhéachas amach ar mo chuid gort is d'at mo chroí le mórtas as slánaitheoirí glasa seo mo thodhchaí is iad ag soirbhiú na slí dom.

'Agus dála an scéil nár mhithid duit bheith ag cuimhneamh ar chailín deas éigin i do shaol?'

Lasas beagán agus dúras go leath-trasnaíleach 'Ach tá Debbie agam cheana féin, a Mham.'

Chuir sí a liopa íochtair faoina fiacla is bhog a ceann siar is aniar go smaointeach.

'Sea ... Debbie,' a dúirt sí mar a bheadh macalla ann.

Chuimhníos ar Debbie ag gliúcaíocht orm thar an gclár fichille. Chuimhníos uirthi le léargas nua seo na ngort is caithfead a admháil gur leáigh a maise uaim.

'Cad mar gheall ar chailín deas éigin mar Shiún Ní Raghallaigh?'

Bhí caolchúis san fhéachaint chliathánach a thug sí orm is chonaic sí mo mhac imrisc ag oscailt le hainm Shiún Ní Raghallaigh. Ba leor a hainm chun an tseangheit a mhúscailt in íochtar mo bhoilg. Nuair a d'fhéachfadh sí ort bhraithfeá go raibh d'aghaidh déanta de leite. Ach ní raibh buachaill sa pharóiste a sheasódh a féachaint gan géilleadh i leataobh di.

Bhain sí fáscadh beag as mo ghualainn, d'éirigh is shocraigh a cuid éadaí arís.

'Fág Siún Ní Raghallaigh fúmsa,' ar sise. 'Anois tóg leat an madra go ham dinnéir agus bí i bhfonn chuige.'

Ghlaos ar mo mhadra go máistriúil is ghabhas ar oilithreacht trí ghabháltas mo bhua.

Bhí an t-ord ag tiomáint na ndingeanna. Ba thaitneamhach liom a bhodhaire is a bhí an fhuaim ar aer fuar an tráthnóna. Bhaineas amach barr na leacan mar a raibh scata maith leamhán tar éis an galar a thógaint. Bhí crann acu leagtha agus lomtha, agus m'athair gan aon léine air ag tiomáint leis go raibh an crann nach mór oscailte aige. Bhí sé báite in allas, gal ag éirí dá dhroim agus gan aon bheann aige ar ghoimh an aeir. D'fhágas an fleasc tae in aice leis ar an talamh is thugas na *Carrolls* dó a cheannaigh mo mháthair dó. Féachaint níor thugamar ar a chéile agus b'in é an fáth gur thit na toitíní isteach sa scoilt. Ní foláir nó bhog a chos an crann mar chomh luath is a chuir sé a lámh isteach, dhún béal na scoilte air de phlab is d'fháisc air. Chuala cnámha a láimhe á mbriseadh mar uibheacha is gach aon bhéic as ag gearradh an aeir i mo thimpeall.

'Sheinn siad orm, léan orthu!'

Thiomáin béiceanna m'athar gach aon splanc céille as mo mheabhair mar cad a dheineas ach breith ar lámh air is cromadh ar é a tharraingt as. Thit sé i bhfanntais láithreach. Siúd ar fud na háite mé ar thuairisc na ndingeanna, ach chuaigh díom.

'Fóir orm,' a ghlaos in ard mo chinn ach bhí fuar agam mar bhí an chabhair ba ghaire dúinn dhá mhíle síos an cnoc uainn. Siúd síos le fána mé sa rás.

Ach bhí an Volvo imithe is gan éinne timpeall a dhéanfadh fóirithint orm. Stracas an Yamaha amach as an ngaráiste; agus mé ag cromadh chun an *kick-starter* d'fhéachas suas go barr na leacan a bhí anois faoi cheo seaca an chlapsholais. Agus mhachnaíos agus mhachnaíos. Dhíríos soc an Yamaha síos an *avenue* is shaigheadas liom tríd an ngrean. Amach ar an mbóthar mór go dtí na Donnabhánaigh, na comharsana ba ghaire dúinn. Scinneas thar gheata na nDonnabhánach is ar aghaidh thar mhuintir Hallissey. Ghabhas thar bhéal gach bóithrín acu agus d'osclaíos an *throttle* gur tháinig geoin bhuile as an inneall.

Sciurdas liom tríd an oíche gan cafarr orm, gan m'éadaí leathair orm. Reoigh an fuacht mé is d'fheann sé mo shúile, ag cur na ndeor ag sileadh. Is ar éigean a d'fhéadfainn an tslí a fheiscint. Is mar sin a bhí sé uaim. Bheadh sé tapa – claí, leoraí, crann. Ghabhas síos trí pharóiste na Scríne is ó thuaidh faoi bhun An Fear Bréige. Thuaidh i Maolas a bhíos nuair a chuaigh mo chuid peitril i ndísc. Chaitheas an oíche ag siúl abhaile. Scuabadh siar na scamaill is d'éirigh teas an domhain i dtreo na réaltaí.

〜✕　✕〜

Thit codladh an-trom orm mar bhain sé tamall fada de mo mháthair mé a mhúscailt ar maidin.

'Níl aon tuairisc ag éinne ar d'athair. B'fhearra dhuit an Caol a chuardach – b'fhéidir gurbh é an cóngar a thóg sé ó Downey's aréir.'

Nuair a thángas abhaile ón gCaol bhí na Gardaí agus cuid mhaith de na comharsana san iothlainn romham.

'Thugais tae chuige thuas ar an leaca inné?' arsa an sáirsint.

'Thug'

'Agus ní raibh sé i dtigh Downey aréir?'

'Ní raibh,' arsa cuid mhaith acu.

'Bainfimid triail as an leaca más ea,' is phreabamar go léir i gcoinne an aird.

Maidir le corpáin is é rud is mó a chuirfidh iontas ort ná súile oscailte an anbháis. Isteach sa scoilt a bhíodar ag féachaint, amhail is go raibh rún mór le ligean ag an adhmad leo. Agus boinn a bhróg. Bhí cuid de na tairní caite go maith. Chuala an t-ord ag tiomáint na dinge is bhraitheas an t-adhmad ag géilleadh. Rug Joe Hassett in am orm is chuir i mo shuí ar chreachaill mé. Cuireadh buidéilín le mo bhéal is bhlaiseas biotáille crua éigin.

Na gardaí a thug m'athair anuas, Joe a stiúraigh mise, beirthe ar uillinn aige orm. Is é a bhí cabhrach liom ag gabháil thar chlaíocha dúinn go dtí gur stiúraigh sé isteach clós na feirme mé. D'fhan sé mar sin taobh liom go dtí lá na sochraide. Ní raibh mo mháthair gan chabhair ach an oiread. Rodney Barcastle a thionlaic as an reilig í.

B'fhusa go mór domsa mo chuid bia féin a ullmhú anois agus fuirse an mhaisiúcháin agus na hathnuachana san áireamh. Bhí píobáin ar fud an tí agus troscán á aistriú. Ba bhreá liom cabhrú pé scéal é mar is mór a bhí curtha di aici idir choiste an chróinéara agus lucht comhbhá ag teacht is ag imeacht ón teach. Uaireanta d'fhanainn istigh ag feitheamh léi, uaireanta théinn síos go Debbie chun ficheall a imirt. Ach bhí an ceart ag mo mháthair, is beag ceol a d'fhéadfainn a bhaint as comhluadar Debbie a thuilleadh.

Oíche amháin shuíos os comhair na tine i dteannta mo mháthar sa seomra suí. Bhí an-chuid irisleabhar á léamh aici ar fhaisin nua éadaí, ar scéimeanna datha d'fhallaí agus araile. Bhíos díreach ar tí turas an R.D.S. a tharraingt anuas, nuair a labhair sí liom gan féachaint orm.

'Cad 'na thaobh nár ól d'athair a chuid tae?'

Chuir an cheist trí chéile mé mar bhí eachtra an lae sin ligthe i bhfuaire i m'aigne. Chuir sí an cheist chugam arís go neafaiseach, leathanaigh an irisleabhair á gcasadh aici.

'Níl a fhios agam,' arsa mise.

'Tháinig an tae ar ais agus é reoite sa fhleasc. Is aisteach liom san mar bíonn sé i gcónaí chomh spallta sin ó thigh Downey an oíche roimhe sin go n-ólann sé láithreach é. Ar ól sé é?'

Dheineas iarracht ar shrian éigin a chur le rás buile m'aigne, ach chuaigh díom.

'D'ól sé, níor ól sé, ní cuimhin liom. Nach cuma?'

'Agus na toitíní: ní raibh ceann aige ó mhaidin. Is ait é mar scéal, a mhic, mar níor tógadh bolgam as an bhfleasc agus níor oscail sé an bosca. Is é atá ag déanamh tinnis domsa ná cathain a tharla an rud seo?'

Bhíos ar na craobhacha faoin am seo nach mór, á rá is go gceisteodh mo mháthair mar seo mé.

'Scéal thairis é sin anois, a Mham. Mar a dúirt an coiste

cróinéara, *"wet cold spiral, due to exposure"*. Is uisce faoin droichead anois é.'

Ach bhraitheas an tsean-laige úd ag breith ar ghabhal orm arís. D'éirigh mo mháthair is shocraigh sí na hirisleabhair go néata ar an mboirdín.

'Is tú mac d'athar, gan aon dabht, stuacach nuair is mian leat é.'

Bhí goimh sna focail is bhraitheas an ceanrach agus na búclaí miotail air anuas ar mo shrón arís. Ghluais sí go grástúil trasna an tseomra chun imeacht. Stop sí is a lámh ar úll an dorais aici is chas sé i mo threo.

'Mar a leagtar an crann is ann a bhíonn na slisneacha.'

Bhí idir bhinb is mhagadh ar a guth. Bhí drochmheas i gcónaí aici ar sheanaimsearthacht m'athar, ach go mór mór ar a chuid seanráite. D'éiríos is bhí "sás a dhéanta a chuimhnigh air" ar bharr mo theanga le casadh agam léi ach reoigh na focail i mo bhéal. Chuala an Volvo go gairid ina dhiaidh sin ag crónán leis an bóithrín síos.

N'fheadar cé acu an téamh lárnach nó na guthanna a dhúisigh mé. Pé scéal é bhíos báite in allas agus bheartaíos ar éirí is mé féin a fhuaradh. Bhraitheas ansin gurbh fhearr dom scéal seo na nguthanna a fhiosrú. Ó sheomra mo mháthar a bhíodar ag teacht. An dream a chuir isteach an téamh lárnach dúinn bhí poll mór fágtha gan deisiú fós acu i bhfalla amháin den seomra. Bhí solas oíche ar lasadh le hais na leapa. Bhí Joe Hassett díreach tar éis luí a dhéanamh le mo mháthair agus anois bhí an dá chorp lomnochta caite siar is aniar ar a chéile, gaiseá an ghrá fós iontu. Bhí ór an tsamhraidh gan corp mo mháthar a thréigean go fóill. Níor mhór liom dóibh é. Níor mhór liom sonas d'aon neach ar an saol seo. Cad a bhreoigh mé, más ea? Iad a bheith ar a suaimhneas, an suaimhneas sin a thagann le haithne fhada. Thuigeas, is ea, thuigeas. Bhí gruaig fhionn mo mháthar leata ar an bpilliúr, a súile ar an tsíleáil go neafaiseach, a tóin thriopallach le Joe. Bhí aghaidh Joe sórt cliathánach liom. Chaitheamar deich nóiméad inár staic, eagla ormsa go gcloisfí preabadh mo chroí. Labhair sí:

'Joe?'

'Uthu?'

'Joe, tá rud amháin ag déanamh tinnis dom faoi.'

'Cad é féin?'

'Go maróidh sé é féin.'

'Conas, airiú?'

'Ar an Yamaha sin, oíche éigin.'

Níor thug sé aon toradh uirthi. Ní fhéadfainn cuma a cheannaithe a léamh. Ní fhaca ach poll dubh domhain a mhac imrisc ar sceanadh sa solas lag oíche. Ba é tobar na hiothlainne é. Sheasas ansin, ceangailte den talamh is stánas trí rúndiamhair mhealltach na duibhe sin. Ansin go mall mall bhraitheas mo dhomhan ag bogadh, ag casadh is ag imeacht ina bhulla báisín buile síos craos an tobair sin, aghaidh Debbie, dingeanna m'athar, *gin*eanna bándearga, mo pháirceanna, mo bhrionglóidí, gach uile rud á scaoileadh faoin duibheagán.

Chailleas mo thuiscint ar aimsir, ar spás, ach tharraing preabadh buile mo chroí ar ais ó bhéal na cuilithe mé is chúlaíos siar go dtí mo sheomra. Bhailíos mo ghiuirléidí go tapa is d'aimsíos eochair an *dairy*, an eochair a fuarthas i bpóca m'athar lá a bháis. D'éalaíos liom an casán síos go dtí an *dairy*. Trí cinn de ghlais a bhí le scaoileadh. Thuigeas dó. Is idir an baol agus an briseadh a ghealtar ort; mar cé go raibh an oíche chomh dubh leis an uaigh bhí m'aigne ag pléascadh le solas.

Chuas isteach is dhaingníos an doras. B'iontach liom a fhusacht a d'aimsíos gach rud gan aon lóipéireacht sa dorchacht, amhail is gur mé féin a chuir caoi agus eagar ar an áit an chéad lá. Chuir an choinneal na scáthanna ag preabadh is d'fhás réadúlacht mo shaoil os comhair mo shúl.

Bia ar fad, ach é go léir i gcannaí stáin. Dóthain bliana ann, a déarfainn. Ní fhéadfaí baint leis an mbia seo gan fhios. Bhí an-tuairim ar a ghnó aige. Gan aon leictreachas sa teach, gan gás, gan uisce píobáin. Córas neamhspleách ab ea é. Fallaí daingne nach leagfadh buama iad. An gunna dhá bhairille os cionn na tine agus dóthain piléar d'arm fear. Chaitheas mé féin ar an leaba; thit síth de shórt orm.

Tá sé á thaibhreamh dom nach bhfuil sa saol ach tragóid teilifíse. Tá dhá shlí chun tragóid teilifíse a sheinm – ar aghaidh nó droim ar ais. Is fearr liomsa droim ar ais é, mar sa tslí sin críochnóidh tú i gcónaí le tosach maith.